Mari Wyn

Golygyddion Cyfres y Dderwen:
Alun Jones a Meinir Edwards

Mari Wyn

SARA ASHTON

y Lolfa

I Eban

Argraffiad cyntaf: 2010

Comisiynwyd y gyfrol hon gyda chymorth ariannol Adran Plant,
Addysg, Dysgu Gydol Oes a Sgiliau

Cynllun y clawr: Dorry Spikes

Rhif Llyfr Rhyngwladol: 978 1 84771 214 1

Cyhoeddwyd ac argraffwyd yng Nghymru
gan Y Lolfa Cyf., Talybont, Ceredigion SY24 5HE
gwefan www.ylolfa.com
e-bost ylolfa@ylolfa.com
ffôn 01970 832 304
ffacs 832 782

Diolchiadau

I Gai am ei gariad, ei gefnogaeth a'i amynedd

I Mam, Dad a Medi am eu ffydd

I'm teulu a'm ffrindiau oll

I Gwen a chriw Cylch Daear am yr ysbrydoliaeth

I holl staff y Lolfa, ac yn arbennig i Alun a Meinir am eu cefnogaeth frwd, eu gwaith caled, ac am roi'r cyfle i mi

Ac yn olaf i Mari, merch Amanda a Huw, Gerlan, a oedd (heb yn wybod iddi) yn ysbrydoliaeth i gymeriad Mari Wyn.

Ger grug y mynydd cysgodai barrug bywyd
a thawelwch oedd yn llethu'r trybini.
Canfu enfys ger to cymylau'r dyffryn hwn
Wrth i eiliad gul o olau
Gychwyn hanes fory, heddiw, yn y Blaenau.

Pennod 1

Yr awyr yn las, a'r gwair yn wyrdd

Gorweddai Mari ar ei chefn yn y gwair yn edrych ar yr awyr. Doedd hi ddim yn cofio ers faint roedd hi yno. O'r fan lle gorweddai, roedd y gwair yn edrych fel y *skyscrapers* a welsai hi ar y teledu pan oedd hi'n fach – tyrau anferthol yn dal y miloedd o bobol fyddai'n heidio iddyn nhw bob dydd, pob un ohonynt yn llwyd eu gwedd. Doedd yr un ohonyn nhw'n gwenu. 'Be oedden nhw'n *neud* trwy'r dydd yn y *skyscrapers* 'na?' synfyfyriodd. 'Be *sy* 'na i neud trwy'r dydd mewn *skyscraper*?' Syllodd ar y gwelltyn agosaf ati fel petai'n disgwyl i hwnnw ateb ei chwestiynau. Roddodd o mo'r atebion iddi, ond plygodd ac yn lle hynny cynigodd forgrugyn, a gerddai ar ei hyd. Wrth iddi ddal ei llaw allan i adael i'r morgrugyn gamu oddi ar y gwelltyn, cofiodd Mari ei mam yn sôn am y *skyscrapers* roedd *hi* wedi'u gweld ar y teledu pan oedd hi'n fach.

Yn ôl pob sôn, safai dau *skyscraper* anferth ochr yn ochr, ym Manhattan, Efrog Newydd. Roedd yr Americanwyr yn falch iawn ohonynt am eu bod yn credu bod adeiladau mawr fel hyn yn dangos eu bod yn bobol bwerus a chryf. Ond, un diwrnod (diwrnod pen-blwydd mam Mari'n saith oed), yn sydyn daeth awyren o rywle ac yna un arall, ac anelu'n syth am y tyrau. Cofiai ei mam yr achlysur yn dda. Cawsai ei gadael ar ei phen ei hun i wylio rhaglenni plant tra oedd Nain wedi picio allan i nôl cacen ar gyfer y parti pen-blwydd a oedd wedi'i drefnu ar gyfer y noson honno.

Torrodd y newyddion ar draws y rhaglen roedd hi'n ei gwylio. Gwelodd ei mam holl ddifrod y diwrnod hwnnw, a hithau adref ar ei phen ei hun. Yr awyrennau'n taro'r tyrau. Y tyrau ar dân. Pobol yn neidio drwy'r ffenestri ac yn disgyn gannoedd o fetrau i'r llawr. Y tŵr cyntaf, ac wedyn yr ail, yn disgyn ac yn chwalu. Pobol yn crio afonydd o ddagrau ar wynebau llychlyd. A'r cwbl o dan yr awyr las, las... Chafodd hi mo'i pharti pen-blwydd y noson honno wedi'r cyfan. 'Pam fod pobol yn dal i fyw a gweithio mewn *skyscrapers*?' Dyna ofynnodd Mari i'w mam wedi iddi gael yr hanes.

'Dwn i'm, Mari bach, dwn i'm,' meddai hithau'n drist.

Roedd hyn wedi digwydd cyn iddyn nhw orfod cael gwared ar y teledu. Doedd Mari ddim wedi gweld fawr ddim y tu hwnt i Ysbyty Ifan ers sawl blwyddyn bellach. Ond ta waeth am hynny, roedd hi'n ddigon hapus yn gorwedd yn y gwair yn edrych i fyny ar yr awyr las uwch ei phen. Un cwmwl bach oedd yn yr awyr, ac wrth iddi ddilyn ei drywydd ar draws y nen, hedfanodd pili-pala bach gwyn i'r golwg. Gwnaeth sioe fawr o lanio ar un gwelltyn cyn hedfan i ffwrdd a glanio ar un arall, a gwneud yr un peth dro ar ôl tro. Yn y diwedd, glaniodd ar law Mari. Arhosodd yno am eiliad cyn esgyn unwaith yn rhagor a hedfan i ffwrdd.

'Hei, aros amdana i!' meddai Mari gan godi a rhedeg ar ei ôl. Roedd yn anodd dilyn y pili-pala wrth iddo fflitran fflytran yn gyflym o'r naill gyfeiriad i'r llall nes gwneud i Mari deimlo'n chwil. Rhedodd drwy'r gwair, ac yna drwy'r rhedyn tal, drwy dail y cwt moch, o dan ganghennau pigog y ddraenen wen, dros wal y ffin, a thrwy'r brwyn a dyfai ar y gors... nes o'r diwedd y glaniodd y pili-pala, a Mari a'i gwynt yn ei dwrn, ar garreg boeth ger glan yr afon a redai drwy'r pentref.

'Ffiiiww, ti'n gyflym!' meddai Mari gan geisio cael ei gwynt ati. Ni symudodd y pili-pala chwaith.

Trodd Mari i gynhesu ei bol ar y garreg, a gweld cip o'i hadlewyrchiad yn nŵr llonydd y pwll oedd gerllaw. Byddai'n dod yma i nofio weithiau. Edrychodd yn fwy gofalus ar ei hadlewyrchiad. Gallai weld pob manylyn – gwallt brown trwchus, llygaid crwn, bochau cochion, trwyn bach yn troi i fyny ychydig, ceg a ddwedai beth bynnag oedd ar ei meddwl, a'i hysgwyddau llydan. Roedd hi'n falch o'i hysgwyddau. 'Mi fedrat ti gario holl feichia'r byd ar y sgwydda 'na,' dywedai ei thaid wrthi. 'Peth da 'fyd,' meddai wedyn. 'Falla byddi di'n gorfod gneud hynny rhyw ddydd.' Doedd hi ddim cweit yn siŵr beth roedd ei thaid yn ei olygu wrth ddweud hynny. Ond câi'r argraff, yn ôl y ffordd y siaradai, fod cael ysgwyddau llydan yn rhywbeth a allai fod yn ddefnyddiol.

Beth bynnag, os oedd ei thaid yn falch o'i hysgwyddau llydan, yna roedd hithau hefyd, gan ei bod yn caru'i thaid yn fwy nag unrhyw beth arall yn y byd. Byddai wrth ei bodd pan ddeuai draw o'r Blaenau yn ei geffyl a thrap i aros am ychydig ddyddiau. Doedd dim llawer o geir bellach gan iddyn nhw orfod cael eu gwerthu am bris sgrap pan aethon nhw'n rhy ddrud i'w cynnal a'u cadw. Roedd Taid yn dod draw heddiw. 'Mae'n siŵr ei fod o bron â chyrraedd erbyn hyn,' meddai gan wenu, 'neu 'wrach ei fod o yma'n barod!' Tynnodd anadl sydyn a daeth ei hadlewyrchiad 'nôl i'r golwg yn y dŵr. Am eiliad gwelodd ei phen a'i hysgwyddau, a'r tu ôl iddyn nhw yr unig gwmwl oedd i'w weld yn yr awyr las.

Yr eiliad nesaf chwalwyd ei delwedd yn y dŵr. Teimlai yn nyfnder ei bol fod rhywbeth mawr ar fin digwydd a dechreuodd y garreg roedd hi'n gorwedd arni grynu. Hedfanodd y pili-pala i ffwrdd. Ceisiodd Mari godi ar ei thraed ond fedrai hi ddim codi'n uwch nag ar ei chwrcwd. Gwnâi'r cryndod iddi deimlo'n chwil. Ceisiai feddwl beth fyddai'r peth gorau i'w wneud mewn sefyllfa fel hon. Rhuai'r ddaear, gan rygnu esgyrn Mari. Teimlai fod y byd yn dod i ben. Taflodd yr ysgytwad nesaf hi'n ôl i'r llawr. Fedrai hi ddim symud modfedd. Gorweddodd ar ei hyd ar y garreg gan afael yn dynn ynddi. Caeodd ei llygaid, a cheisio cau'i chlustiau i'r sgrechian bloeddio a ddeuai o grombil y Fam Ddaear. Gwingodd Mari a gorwedd yno am hydoedd...

'Mari, MAAARIII...' Cododd ei phen yn ara bach a gwrando. Agorodd ei llygaid fesul un. Gallai deimlo'r garreg boeth oddi tani. Roedd y crynu wedi stopio.

'MAAAAARRRRRIIIII!' Clywodd lais ei mam yn galw arni. Cododd a rhedeg nerth ei thraed tua'r tŷ. 'Mari, tyrd yma, 'nghariad i.'

'Be oedd o, Mam?' llefodd Mari.

'Daeargryn, Mari bach. Daeargryn.'

Rhedodd Mari i freichiau'i mam ac edrych i fyny i'w hwyneb clên. Sylwodd fod ei mam yn syllu'n bryderus arni – a chrychau o boen ar hyd ei thalcen llydan. Ei thrwyn taclus a'i gên fain fel rhai un o sêr y ffilmiau yn y pentwr o gylchgronau merched a gadwai o dan y gwely. Ar ochr ei hwyneb roedd briw, a hwnnw bellach wedi troi'n frown. 'Tyrd i mewn, cariad,' meddai gan arwain Mari i'r tŷ a chau'r drws ar eu holau.

Roedd hi'n amser te ac roedd tad a thaid Mari eisoes yn eistedd wrth y bwrdd. 'Golcha dy ddwylo,' meddai'i mam, 'a cher i ista.' Roedd y *wind-up radio* ar y bwrdd yn uchel braidd er mwyn i Taid allu ei chlywed. Un orsaf radio swyddogol oedd yna bellach, er bod modd clywed rhai answyddogol pe bai rhywun yn mynd â'r radio i ben y bryn lle roedd gwell derbyniad i'w gael, ond nid yn y tŷ. Saesneg oedd iaith yr orsaf swyddogol...

'There have been reports of earth tremors being felt throughout the west of the United Kingdom today, with the strongest, measuring 5.4 on the Richter Scale, in north-west Wales. There has been damage to buildings in the Blaenau Ffestiniog area, the town nearest the epicentre, but no loss of life. Scientists believe that this is the beginning of a period of greater seismic activity associated with the Menai Straits Fault Line, which will of course affect the whole of north Wales.'

Eisteddodd Mari wrth i'w mam osod y bwyd o'u blaenau, a throdd Taid i edrych ar Mari.

'Mae'r Fam Ddaear wedi cael llond bol,' meddai cyn codi ei gyllell a fforc a dechrau bwyta.

'A dwi 'di cael llond bol ar dy fwydro di,' grwgnachodd ei thad wrth Taid heb edrych arno.

Edrychodd Mari o'r naill i'r llall gan ddal i syllu ar ei thaid yn bwyta'i datws cyn dechrau bwyta'i thatws hithau.

'Dach chi'n aros heno, Taid?' gofynnodd Mari ar ôl

iddyn nhw orffen bwyta, gan wybod yn iawn y byddai'n rhaid i Taid aros. Roedd hi'n rhy bell iddo deithio 'nôl a blaen o'r Blaenau o fewn diwrnod.

'Well i fi neud, yntê'r hogan, efo'r daeargryn 'ma a phopeth,' meddai Taid gan wenu.

'Bril,' meddai Mari gan wenu'n ôl arno.

Helpodd ei mam i glirio'r platiau swper, yna molchodd yn nŵr oer sinc y gegin, cyn dringo'r grisiau i'w gwely ac ymestyn am lyfr. Doedd hyd yn oed y ffaith fod ei thaid yno ddim yn gallu ei chadw yn y gegin ar ôl swper. Dyna pryd y byddai ei thad yn dechrau yfed. Pe bai tafarn yn y pentref, o leiaf fe fyddai'n gadael y tŷ i fynd yno. Fel hyn, roedd hi'n anodd dianc rhag ei eiriau sbeitlyd. Yr unig ffordd y gallai hi gau ei chlustiau i'w sŵn ac anghofio amdano oedd wrth ymgolli mewn llyfr. A dyna wnaeth hi, unwaith eto, heno.

Wrth iddi ddarllen, a darllen, a darllen, distawodd sŵn brefu'r defaid yn y cae, trodd yr awyr yn lliw inc, a chododd lleuad lawn uwchben hyfrydwch y gwyddfid a dyfai'r tu allan i ffenest ei llofft. Distawodd y ddaear. Wrth i olau'r dydd ddiflannu, caeodd Mari ei llyfr a'i roi ar y gist wrth ochr y gwely. Wrth iddi gau'i llygaid, clywai ganu meddw ei thad yn dod o'r gegin,

'Moooor haaardd yw natuuur ym Mmmeheeeefiin
Ond haaarddach byth yw wyneb...'

A syrthiodd i gysgu.

'Deffra, Mari! Deffra!'

Agorodd Mari ei llygaid, ac am eiliad gwelodd las inc yr awyr a'r lleuad wen yn hofran yn y nen... caeodd ei llygaid. 'Mari!' Agorodd ei llygaid unwaith eto. Nid yr awyr a'r lleuad oedd yno, ond wyneb ei mam a hwnnw'n ddulas gan friwiau – un llygad wedi chwyddo a bron wedi cau a'r llall yn fawr ac yn wyn gan ofn. Gwingodd Mari.

'Tyrd, Mari,' sibrydodd ei mam. 'Rhaid i ni fynd... rŵan!'

Eisteddodd Mari i fyny ar unwaith. Roedd 'na rywbeth yn llais ei mam yn dweud wrthi am beidio â holi, dim ond dilyn ei chyfarwyddiadau.

'Tyrd. Dilyn fi. Dwi 'di pacio bag i chdi'n barod. Mae Taid yn paratoi'r ceffyl a'r trap. Rhaid i ni fynd yn ddistaw bach,' meddai ei mam gan osod ei bys ar ei cheg.

Aethant law yn llaw ar hyd y landin ac i lawr y grisiau gan godi eu traed yn uchel a'u gosod, fesul cam, yn ofalus ar y llawr pren. Ar waelod y grisiau, gwelodd Mari ei thad yn gorwedd ar y llawr o'i blaen, â phrocar mawr wrth ei ochr.

Dychmygodd ei mam wedi cyrlio'n belen yng nghornel y gegin, ei hwyneb yn goch ac yn sych o ddagrau, yn edrych ar y bwystfil o ddyn roedd hi wedi'i briodi. Ei thad yn straffaglu'n feddw uwch ei phen. Ei thaid y tu ôl i'w thad, yn cerdded yn ddistaw tuag ato ar flaenau ei draed o'r parlwr a'r procar yn ei law, yn codi'r procar...

'Mari, tyrd!' sibrydodd ei mam wrth i'r corff ar y llawr ddechrau gwingo.

Er mwyn dianc drwy'r drws cefn roedd yn rhaid iddi gamu dros ei thad. Cododd ei choes chwith a chamu drosto'n ofalus. Teimlodd ryddhad wrth roi ei throed ar y llawr yr ochr arall iddo. Ond yn sydyn teimlodd law fawr yn gafael yn ei ffêr. Roedd ei thad wedi deffro! Sgrechiodd Mari. Sgrechiodd ei mam hefyd. Ceisiodd Mari ysgwyd ei throed yn rhydd, ond roedd gafael ei thad yn rhy gadarn. Edrychodd ar ei mam a gweld panig yn ei llygaid. Trodd yn ôl at ei thad, a gyda rhyw nerth na wyddai oedd ganddi, gafaelodd yn y procar oedd wrth ei throed rydd a'i daro ar ei ben. Llaciodd yntau ei afael... Roedd ei throed yn rhydd. Rhedodd ei mam a hithau drwy'r drws cefn ac allan i'r bore cynnar.

Yno, roedd Taid yn bachu breichiau'r trap wrth harnais y ceffyl bach gwyn. Neidiodd Mari a'i mam i mewn i'r trap, a Taid yn eu dilyn, yn rhyfeddol o heini o'i oed. Daeth tad Mari i'r golwg wrth ddrws y tŷ.

'Brysiwwwch!' sgrechiodd ei mam.

Rhoddodd Taid ysgytwad sydyn i'r awenau, a dechreuodd y ceffyl symud yn araf. Rhedodd tad Mari ar eu holau a dechrau ennill tir arnynt, er gwaetha'i fedd-dod ac effeithiau'r procar. Gwelai Mari ei wyneb mawr brwnt yn agosáu, a chlywai sŵn ei anadl yn ffrwydro o'i drwyn. Ysgydwai Taid yr awenau fel rhywun o'i go.

'Brysiwwch!' sgrechiodd ei mam unwaith eto.

Dechreuodd y ceffyl gyflymu, ond daliai ei thad i redeg ar eu holau.

'Pliiss!' bloeddiodd ei mam.

Gyda phwy roedd hi'n pledio, duw a ŵyr, ond doedd dim ots. Dechreuodd ei thad golli tir. Syllodd Mari a'i mam arno wrth i'r trap fynd yn bellach ac yn bellach oddi wrtho nes nad oedd ond smotyn bach yn y pellter. O bell, gwelsant yr anghenfil fu'n taranu drostynt yn disgyn ar ei liniau ar lawr.

'Lle 'dan ni'n mynd, Mam?' gofynnodd Mari wrth i'r trap eu cario o'r pentref i fyny'r mynydd.

''Dan ni'n mynd i'r Blaenau,' atebodd ei mam wrth iddi lapio blanced o amgylch ysgwyddau Mari. 'Gwisga hon, mi neith hi dy warchod di rhag niwl y Migneint.'

Pennod 2

Stryd y Blaenau'n llawn o wynebau

Doedd Mari erioed wedi gweld cymaint o wynebau gyda'i gilydd o'r blaen. Roedden nhw fel môr o lygaid, trwynau, cegau, gwalltiau, clustiau a phlorynnod.

'O ble daeth yr holl bobol 'ma?' holodd Glenda, mam Mari.

'Ffoaduriaid ydyn nhw,' atebodd Taid wrth geisio llywio'r trap rhwng y torfeydd. 'O Landudno, Bae Colwyn, Rhyl... a rhai o bellach i ffwrdd eto!'

'Pam wnaethoch chi ddim sôn wrtha i am hyn?' gofynnodd hithau, yn methu coelio bod y dref, oedd yn marw ar ei thraed ychydig o flynyddoedd ynghynt, bellach mor llawn o bobol.

'Wel, dod fesul ychydig maen nhw. 'Di rhywun ddim yn meddwl sôn wedyn,' meddai Taid.

'Pam bo' nhw'n dod i'r Blaenau, Taid?' gofynnodd Mari, wrth i'r sgwrs a'r wynebau frwydro am ei sylw.

'Rydan ni'n un o'r trefi ucha ym Mhrydain,' meddai Taid â chryn dipyn o falchder yn ei lais, 'ac maen nhw wedi symud yma o drefi sy ar dir isel iawn.'

Doedd Mari ddim yn siŵr a oedd ateb Taid wedi esbonio'r cwbl iddi, ond roedd yr wynebau'n dechrau ennill y frwydr yn ei phen, felly rhoddodd y gorau i'w holi am y tro.

Wrth i'r trap symud yn araf drwy'r dorf, dechreuodd Mari ddod i arfer â'r holl bobol. Ceisiodd sylwi'n fanylach ar wynebau unigol. Roedd llawer ohonyn nhw'n anwybyddu'r trap yn llwyr. Ond yna teimlai Mari lygaid yn syllu arni. Doedd hi ddim yn eu nabod nhw, ond roedd rhywbeth yn gyfarwydd ynddyn nhw hefyd. Ac wedyn dyma Taid yn sefyll ar ei draed ac yn dechrau llefaru fel pregethwr...

'Yn wag, yn welw deuwn ger eich bron; estron ydych.

Ni wyddoch ddim amdanom, heb fawr o ddealltwriaeth o'n ffordd o feddwl na'n ffordd o fyw.

Cipolwg a gewch gan hebryngwr cynnil ein hanes cyflawn. Ni welwch, y tu ôl i awgrym cynnil y llygaid, deyrnged i'r hanesion a greodd yr edrychiad hwnnw: y tristwch, y llawenydd, a'r cariad pur. Eiliad o fodolaeth yw'r cyfan sydd gennych, yng nghwmni henaint hirfaith ein cystrawen ni.

Fe hoffech feddwl fel arall, mi dybiaf: mai cyflawn yw eich ymwybyddiaeth o'r dref hon, lle rydych heddiw'n ymgasglu i wario eich oriau prin.'

Roedd pawb wedi dechrau edrych i gyfeiriad y trap erbyn hyn.

'Dad, steddwch lawr, wir!' meddai Glenda'n flin.

Ond daliodd Taid ati, heb gymryd unrhyw sylw o'i ferch.

'Ystyriwch, ffrindiau. Ni wyddoch hanner arall ein hanes ac ni chewch wybod chwaith, canys hanes arall yw eich hanes chi.

Gwead dwfn a dwys mynydd a bywyd sy'n ein clymu yn y fan hon. Cofiwch mai ni sydd wedi eich gwahodd yma.

Gwrandewch arnom, felly, yn hytrach na syllu arnom.

Gwrandewch nawr, ymwelwyr, canys chwedlau gwerin yw ein hanes ni!'

''Na ni, dyna fi 'di deud wrthyn nhw,' meddai Taid gan eistedd i lawr yn hunanfodlon o'r diwedd. Er nad oedd Mari'n deall geiriau'i thaid, teimlai'n falch ohono, yn falch o'r hyn a wnaeth.

''Dy'n nhw ddim yn 'ych dallt chi, siŵr,' meddai Glenda. 'Saesneg ydi'u hiaith nhw.'

O'r diwedd, cyrhaeddodd y trap gartre Taid, lle magwyd Glenda. Gallai Mari weld y difrod a wnaed i'r adeiladau yn ystod daeargryn y diwrnod cynt. Doedd y tai ddim wedi'u dinistrio'n llwyr, ond roedd ambell gorn simdde wedi dymchwel, a chraciau amlwg mewn rhai waliau. Roedd talcen ambell dŷ wedi disgyn, hyd yn oed, a'r perchennog wrthi'n ceisio cau'r twll â hen ddarpolin. Roedd y bobol hŷn yn edrych yn fwy cyfarwydd, sylwodd Mari. Codai sawl un ohonyn nhw eu llaw ar ei mam a'i thaid. Cerddai ambell un wrth ochr y trap gan sgwrsio.

'A dyma Mari, ia? Mae hi 'di tyfu, yn tydi Glend?' meddai un o'r merched wrth ei mam. 'Babi bach oeddat ti'r tro diwetha i mi dy weld di, cofia.'

Cyfarchodd un arall ei thaid yn araf ac yn uchel. 'A sut dach chi, Mr Wilias?'

Cymerai'r merched a'r dynion gip ar wyneb ei mam

fel pe baen nhw'n cydnabod, heb siarad, eu bod nhw'n gwybod yn iawn beth oedd wedi digwydd iddi a'u bod yn poeni amdani.

'Bron yna,' meddai Taid yn sionc gan neidio o'r trap ac arwain y ceffyl tuag at y tŷ.

O'i blaen gwelai Mari dŷ pen y teras a'i waliau wedi'u gorchuddio â cherrig mân. Sylwodd Mari fod hanner y cerrig mân wedi disgyn – effaith daeargryn y diwrnod cynt, mae'n debyg – a'u bod yn un pentwr yn yr ardd fechan o flaen y tŷ. Un ffenest oedd 'na ar y llawr ac un yn y llofft. I'r dde o'r ffenest isa roedd drws ac o'i flaen safai dynes a chlamp o hogyn.

'Nest!' gwaeddodd Glenda gan neidio o'r trap a rhedeg at y drws.

'Glend!' gwaeddodd y ddynes yn ôl arni. Roedden nhw ym mreichiau ei gilydd cyn pen dim ac yn beichio crio wrth gerdded i mewn i'r tŷ.

Gwenodd yr hogyn mawr ar Mari a chwifio'i law cyn dilyn y merched i mewn i'r tŷ. 'Mae'n rhaid mai Anti Nest a 'nghefnder, Osian, ydyn nhw,' meddai Mari wrthi'i hun.

'Tyrd, 'nawn ni eu gadael nhw,' meddai Taid. 'Tyrd hefo fi.'

Dilynodd Mari ei thaid at gefn y tŷ.

'Sbia, dyna 'nghartre i,' meddai gan bwyntio at hen garafán fach yn nhop yr ardd.

Roedd y garafán o dan goeden dderw fawr a jyngl o berlysiau y tu ôl iddi. Prin fod Mari'n medru gweld cefn y garafán, ond sylwodd fod rhywun, rywbryd, wedi sgwennu ar ei hochr: 'Caffi'r Cwrt'.

'O, 'di hwnna'n ddim byd,' meddai'i thaid. 'Roedd hwnna arni pan brynish i hi. Ti isho panad?'

Aethon nhw i mewn ac estynnodd Taid ddwy gadair bren roedd wedi'u gwneud allan o fonyn coeden, a'u gosod ar y patio llechi o flaen y garafán. Eisteddodd Mari tra oedd Taid yn casglu camil ar gyfer y te. 'Da 'di'r hogyn,' meddai yntau wedyn o grombil y garafán. 'Mae o 'di cadw tân y stof yn fyw.'

Roedd hynny'n dipyn o gamp y dyddiau hyn gan fod glo mor brin a dim llawer o goed ar ôl yn yr ardal. Roedd cymdogion Taid, a hyd yn oed ei ferch ei hun, wedi pledio arno i dorri'r hen dderwen fawr yn yr ardd fel y gallen nhw losgi'r coed. Ond roedd Taid wedi gwrthod. Wrth i'r tymheredd godi roedd y coed derw'n diflannu bob yn un. Allai'r coed gwydn ddim ymdopi â hinsawdd fwyn y degawdau diwethaf.

'Y dderwen ydi un o'r ychydig gysylltiadau sy gynnon ni â'n gorffennol,' dadleuodd Taid wrth ei gymdogion. 'Dydw i ddim am ei thorri hi i lawr.' Bu'n rhaid i'r cymdogion a'i ferch ddangos y parch dyladwy ato gan ei fod o'n hŷn na nhw, ac felly aros wnaeth y dderwen.

'A, dyma ni,' meddai Taid gan gynnig panad i Mari a nôl ei banad yntau cyn eistedd. 'Dyma'r bywyd, hogan! Dyma'r bywyd,' meddai gan gau'i lygaid yn yr haul...

Deffrodd Mari'n sydyn o'i thrymgwsg. Roedd yr haul wedi dechrau disgyn y tu ôl i fynyddoedd y Moelwyn.

'Mari, deffra,' meddai'i mam. 'Ti 'di bod yn eistedd yn fan'na ers oria.'

Agorodd Mari ei llygaid yn llawn a gweld tri amlinelliad

tywyll yn erbyn y machlud y tu ôl iddyn nhw: ei mam, Nest, a'r hogyn enfawr, Osian.

'Mari, tyrd i gwrdd â dy Anti Nest a dy gefnder, Osian. Maen nhw'n ysu i ddod i dy nabod di.'

Safodd Mari ar ei thraed. Doedd dim golwg o Taid yn unlle. Dilynodd hithau'r tri i mewn i'r tŷ.

Roedd cegin gefn y tŷ yn fach ond yn gartrefol, ac roedd 'na oglau hyfryd yno – cyw iâr yn rhostio a llysiau'n berwi. Roedd Nest wedi bod yn ddigon call i sylweddoli y byddai tanwydd yn brin ac wedi gosod stof *multi-fuel* a phopty wrth ei hochr cyn i brisiau pethau felly godi cymaint fel na allai pobol gyffredin eu fforddio.

'Reit 'ta, tyrd i mi gael dy weld di'n iawn,' meddai Nest, gan wneud i Mari eistedd ar gadair a chwpanu'i hwyneb yn ei dwylo. 'Ti 'di tyfu, yndô?'

Doedd Nest ddim wedi gweld Mari er pan oedd hi'n fach am na allai adael Osian ar ei ben ei hun, ac yntau'n gwrthod teithio yn y trap. Bu Mari a'i mam yn garcharorion yn Ysbyty Ifan, fwy neu lai, oherwydd ymddygiad ei thad. Taid oedd yr unig gyswllt rhyngddyn nhw a'r Blaenau ers blynyddoedd. Edrychodd Mari'n ofalus ar wyneb Nest. Roedd y croen o amgylch ei llygaid yn goch ac wedi chwyddo – olion crio, efallai, ond roedd brown ei llygaid yn dryloyw ac yn hardd. Roedd ei gwallt yr un lliw â'i llygaid, gydag ambell flewyn gwyn yma ac acw, a chudyn bach ohono'n fframio'i thalcen, a oedd yn debyg i siâp talcen ei mam. Roedd hi'n hŷn na'i mam. Gwenai ceg a llygaid Nest gyda'i gilydd. 'Reit,' meddai. 'Gwell i ni gael bwyd yn y bol 'na. Ista di fan hyn, wrth ymyl Osian.'

Tynnodd Mari'r gadair roedd hi'n eistedd arni at y

bwrdd wrth i'w mam a Nest glebran a rhoi'r bwyd ar y platiau.

'Hei, Mari,' meddai Osian, gan estyn ei law anferth iddi. 'Roedd Mam yn deud bo' chdi 'di ca'l amser caled a bo' chdi'n dod i fyw aton ni. 'Sdim rhaid i chdi boeni, 'sti. 'Na i edrych ar dy ôl di.'

Edrychodd Mari i'w lygaid ac yna ar ei law.

'Diolch, Osian,' meddai. Wrth iddyn nhw ysgwyd llaw gwenai Osian yn hapus.

Ar ôl swper, doedd dim sôn am Taid, ac aeth Osian â Mari a'i mam i fyny i'w stafell wely. Am y tro byddai'n rhaid i Mari a Glenda gysgu yn ei stafell o, a byddai yntau'n cysgu ar lawr stafell ei fam. Roedd y stafell yn fach iawn, a lluniau o Superman ar yr hen bapur wal glas. Yn hongian ar y wal hefyd roedd ffrâm yn dal llun dyn yng ngwisg y fyddin.

'Llun o Dad ydi hwnna,' meddai Osian wrth sylwi fod Mari'n edrych arno.

'Lle mae o rŵan?' holodd Mari.

'Yn y nefoedd.'

Bu eiliad o ddistawrwydd annifyr.

'Sori,' meddai Mari.

'Mae'n iawn,' meddai Osian. 'Do'n i ddim yn 'i nabod o.'

'Roedd tad Osian yn filwr yn Irác ac mi gafodd ei ladd cyn i Osian gael ei eni,' esboniodd ei mam wrth Mari.

'Wel diolch i ti, Osian, am gynnig dy lofft i ni,' meddai Glenda gan geisio newid y pwnc.

'Mae'n iawn,' meddai Osian. 'Dwi'n sori does 'na ddim

cwilt Superman ar y gwely, ond roedd Mam yn deud bod yn rhaid i chi gael *sheets* glân. Mae Mam 'di rhoi powlen o ddŵr poeth yn y *bathroom* i chi gael molchi.'

Ar ôl i Osian adael, ymolchodd y ddwy, gwisgo'u pyjamas, a swatio at ei gilydd yn y gwely sengl roedden nhw'n ei rannu. Gorweddodd y ddwy yno'n ddistaw am ychydig wrth i Glenda fwytho gwallt ei merch.

'Pam bod Osian yn siarad yn araf, Mam?' gofynnodd Mari ar ôl ychydig.

'Am fod gynno fo anghenion arbennig,' oedd ateb ei mam.

Doedd Mari ddim cweit yn siŵr beth oedd ystyr 'anghenion arbennig' ond roedd hi wedi blino gormod i holi rhagor. Gan mai 'sbesial' oedd ystyr 'arbennig', daeth i'r casgliad bod ei chefnder yn rhywun unigryw. 'Mae'n debyg mai dyna sut roedd o'n gallu bod mor siŵr y medrai o edrych ar fy ôl i,' meddyliodd wrth i'r lluniau o Superman ar y wal feddalu a diflannu yn ei chwsg.

Pennod 3

Fel petai holl law'r byd yn taro'n erbyn ffenest y llofft

Roedd Mari'n ddiferyn o law yn disgyn... a disgyn... a disgyn... a... deffrodd yn sydyn. Tynnodd anadl ddofn. Edrychodd o'i chwmpas a phwyso 'nôl ar y gwely gan gadw'i llygaid yn agored rhag iddi droi'n ddiferyn o law unwaith eto a hwnnw'n disgyn yn ddiddiwedd. Aeth sawl eiliad heibio cyn iddi gofio lle roedd hi. Roedd ei mam yn amlwg wedi codi ers amser, ac roedd 'na dwrw ofnadwy'n dod o gyfeiriad y gegin.

'Be dach chi 'di bod yn neud, Dad?' clywai Mari ei mam yn gweiddi.

'O, Dad,' meddai Nest wedyn. 'Dach chi'n wlyb at eich croen!'

Rhuthrodd Mari o'i gwely ac i lawr y grisiau i weld beth oedd achos yr holl stŵr. Yng nghanol y gegin gefn safai ei thaid yn rhynnu mewn pwll o ddŵr. Roedd ei mam a Nest wrthi'n ei helpu i dynnu'i ddillad, a'r rheiny'n socian. Gallai Mari weld bod ei groen wedi dechrau troi'n las.

'Lle dach chi 'di bod, Taid?' gofynnodd Mari.

''Na i ddeud wrthat ti wedyn,' meddai gan wincio.

''Sdim ots lle mae o 'di bod,' meddai ei mam. 'Y pwynt ydi, mae o 'di bod allan yn y glaw 'ma ers oriau a bron â marw o *hypothermia*.'

'Reit, dyna chi,' meddai Nest gan ei sychu â thywel mawr a'i wisgo mewn pyjamas. 'I'r rŵm ffrynt â chi – a pheidiwch â dod o 'na nes bod y glaw wedi stopio.'

Er i Taid dynnu wyneb pwdlyd, aeth yn ufudd.

'A Mari ac Osian. Ewch chithau yno hefyd. Arhoswch hefo Taid a gofalu nad ydi o'n dianc.'

Un soffa oedd yn y stafell ffrynt, a honno'n wynebu'r ffenest. Roedd Taid wedi eistedd ar ganol y soffa, felly eisteddodd Osian wrth ei ymyl. Prin fod digon o le iddo fo, ond yn ffodus dyn bychan oedd Taid, ac eisteddodd Mari ar yr ochr arall iddo. Daeth Nest â brecwast i mewn iddyn nhw. Bwytodd y tri mewn distawrwydd a rhoi eu platiau wrth eu traed wedi iddyn nhw orffen. Eisteddodd y tri mewn tawelwch yn gwylio'r glaw yn llifo i lawr y ffenest. O'r diwedd torrodd Osian ar draws y tawelwch.

'Tywydd uffernol,' meddai.

Tawelwch eto.

'Ydi wir,' cytunodd Mari.

Ddywedodd Taid 'run gair am hydoedd. Sylwodd Mari fod y glaw yn dechrau treiddio i mewn i'r craciau rhwng y cerrig mân a'r wal yn y tŷ gyferbyn. Ochneidiodd Osian. Distawrwydd eto.

'O Taid,' meddai Mari o'r diwedd. 'Dudwch wrthon ni lle dach chi 'di bod.'

Pan welodd wyneb pwdlyd Taid, sylweddolodd yn syth mai camgymeriad oedd ei holi. Tawelwch eto. Ochneidiodd Osian unwaith eto. Ochneidiodd Mari hefyd. Daeth Nest â phaned iddyn nhw. Yfodd y tri eu paneidiau a rhoi'r mygiau gwag ar lawr wrth eu traed.

'Wel, rydan ni'n tri'n garcharorion,' meddai Mari gan gymryd cip sydyn ar ei thaid. Llaciodd ei 'wyneb pwdu' rhyw fymryn. Gwenodd Mari. 'Rydan ni'n tri'n diodde o ganlyniad i system sy wedi cael ei gorfodi arnon ni,' meddai wedyn, heb fod yn hollol siŵr o ystyr y geiriau ond yn cofio bod ei thaid wedi'u hadrodd wrthi ryw ben. 'Wnes i ddim dewis bod yn geidwad carchar.'

Arhosodd er mwyn i'w geiriau gael effaith cyn edrych ar ei thaid unwaith eto. Roedd ei wyneb wedi llacio rhywfaint. Daliodd ati â'i hymgyrch. 'O na bawn i'n rhydd,' meddai Mari wedyn. Doedd Osian ddim cweit yn deall ystyr geiriau Mari, ond synhwyrodd eu bod yn cael effaith ddymunol ar ei daid felly ymunodd yn ymdrech Mari drwy ychwanegu synau cadarnhaol. 'Ond does dim diben gobeithio, am wn i; carcharorion ydan ni wedi'r cwbwl,' meddai Mari wedyn.

'Paid byth ag anobeithio!' ffrwydrodd Taid. 'O'r holl rymoedd sydd yn gwneud gwell byd, does 'na'r un mor anhepgorol, yr un mor rymus â gobaith. A phaid ti ag anghofio hynny'r hogan!'

Yr eiliad honno disgynnodd yr holl gerrig mân oddi ar wal y tŷ gyferbyn. Rhuthrodd y tri i'r ffenest ond erbyn iddyn nhw gyrraedd doedd dim llawer i'w weld. Dim ond y tŷ carreg yn dechrau gwlychu yn y glaw a thomen o gerrig mân yn yr ardd.

Trodd Mari at ei thaid. 'Lle roeddach chi neithiwr, felly?' holodd.

'Fedrwch chi gadw cyfrinach?' meddai yntau.

'Wrth gwrs,' oedd ateb y ddau.

Edrychodd Taid o'i gwmpas ac yna sibrwd, 'O'n i mewn parti.'

'Parti!' ailadroddodd y ddau'n syn. 'Yn lle?'

'Ar ben y Manod Mawr.'

'Pwy oedd yn cael parti ar ben Manod Mawr, Taid?' gofynnodd Osian, gan bendroni pwy yn y byd fuasai'n mynd i'r fath ymdrech o gynnal parti ar *ben* mynydd.

'Dwi'm yn siŵr… ' meddai Taid yn betrus, 'ond roedd 'na lot yno. Derwyddon, gwrachod, ysbrydion, tylwyth teg, corachod, bleiddiaid, eirth, eryrod… i gyd yn dawnsio o gwmpas tân anferth.'

Edrychodd Mari ac Osian ar ei gilydd ac yna 'nôl ar Taid.

'O'n i'n dawnsio hefo nhw,' ychwanegodd wrth i'r ddau syllu'n syn arno. 'Go iawn,' meddai Taid, a dechrau adrodd yr hanes.

'O'n i 'di mynd am dro i fyny'r Manod Bach i weld yr haul yn machlud. Roedd hi'n heuldro'r haf neithiwr, welwch chi. Beth bynnag, aros wrth lyn Manod o'n i, i gael 'y ngwynt, pan laniodd pili-pala bach gwyn ar fy llaw ac yna codi a hedfan i ffwrdd. Mi ges i'r ysfa i'w ddilyn o, a dyna 'nes i. Ei ddilyn yr holl ffordd i ben y Manod Mawr. Fel ro'n i'n cyrraedd y copa dyma fi'n gweld ffurf dyn melyn. Roedd o'n eistedd ar y carn ar y copa yn edrych i lygad yr haul. Trodd i edrych arna i a gwenu am eiliad neu ddwy. Ac wedyn mi ddiflannodd.'

Gwrandawai Mari ac Osian yn astud erbyn hyn. Aeth Taid yn ei flaen.

'Do'n i ddim yn siŵr be i' neud am chydig,' meddai,

'felly 'nes i jest sefyll yn stond. Edrychais o gwmpas am y pili-pala ond roedd o 'di diflannu. Chwiliais am y machlud, ond roedd yr haul wedi diflannu hefo'r dyn. Es i eistedd ar y carn i feddwl am yr hyn oedd wedi digwydd. Dyna pryd y gwelais i ffurf dynes yn cerdded mewn cylch mawr o amgylch y carn. Roedd tân yn cynnau yn y glaswellt yn ôl ei throed. Wrth iddi gwblhau'r cylch edrychodd arna i a gwenu am eiliad neu ddwy cyn iddi hitha hefyd ddiflannu.

'Erbyn i mi ddod ata i fy hun roedd fflama'r tân yn dechra llarpio'r awyr, a'r tu draw iddyn nhw roedd bodau'n ymdroi'n araf o amgylch y cylch. "Help!" gwaeddais arnyn nhw, wrth sylweddoli 'mod i 'di 'nghau i mewn gan y tân. Ond dal i droi wnaethon nhw... "Help!" meddwn i wedyn. "Heeelp!" Ar y drydedd waedd dyma nhw'n edrych arna i drwy'r tân a gwenu. Ac yna cododd eryr o'u plith a hedfan dros y fflama, cydio yn fy nghrys, fy nghodi i dros y tân, cyn fy ngosod i 'nôl ar y ddaear y tu allan i'r cylch.

'Wrth imi lanio aeth y lle'n hollol wallgo. Roedd yr holl gymeriada'n chwerthin, yn siarad, yn canu, ac yn dawnsio. Ac yn troi a throi i rythm y drwm – rhythm fel curiad calon. Mi fuon ni'n troi a throi am oria. Ac wedyn, fel roedd hi'n gwawrio, dyma hi'n dechra bwrw glaw. Gyda phob diferyn roedd y tân, a'r cymeriada, a rhythm y drwm, yn diflannu bob yn dipyn. Ymhen dim ro'n i yno ar 'y mhen fy hun yn wlyb at 'y nghroen, a dyna pryd cychwynnais i 'nôl am adre.'

Edrychodd Taid ar ei gynulleidfa. Tynnodd Mari ac Osian anadl ddofn a chwythu allan yn araf, 'Whoooooooooooooooo'.

'Dad, mae'r glaw wedi stopio. Gewch chi fynd i'r garafán i wisgo rŵan.'

Trodd Taid, Mari ac Osian a gweld Nest yn sefyll yn y drws.

'Be dach chi 'di bod yn neud?' holodd Nest. 'Mae 'na olwg euog iawn arnoch chi.'

'Dim,' meddai Mari'n syth.

Yr eiliad honno daeth yr haul allan a disgleiriodd llafn o olau ar ochr eu hwynebau. Edrychodd y tri ar ei gilydd.

'Dad,' meddai Nest yn dechrau colli ei hamynedd, 'dowch rŵan.'

'Iawn,' meddai Taid gan ddechrau symud tuag ati. 'Gawn ni orffen y sgwrs rywbryd eto,' meddai'n gynllwyngar cyn diflannu drwy'r drws.

'Dyliat titha fynd i wisgo rŵan hefyd, Mari,' meddai Nest cyn dilyn Taid i gefn y tŷ.

Pennod 4

Awyr… tarmac… awyr… tarmac… awyr… tarmac… awyr…

Roedd Mari ac Osian ar y swings yn y parc. Ar ôl i Mari wisgo awgrymodd Nest y dylen nhw fynd am dro i'r dref, gan fod y tywydd wedi gwella, a gallai Osian ddangos ychydig o'r Blaenau i Mari. Aeth Osian â hi'n syth at y swings gan eu cyflwyno fel ei rai o. Roedd 'na rywfaint o wirionedd yn hynny, oherwydd heb Osian fyddai'r swings ddim yn gweithio. Y fo fyddai'n mynd yno bob wythnos gydag ychydig o olew i iro lle roedd y tsiaen yn sownd yn y bar. Flynyddoedd maith yn ôl, y Cyngor fyddai'n edrych ar eu hôl ond erbyn hyn doedd ganddyn nhw ddim pres i wneud hynny; a dweud y gwir, roedd ganddyn nhw bethau llawer pwysicach i boeni amdanyn nhw.

Dros y blynyddoedd roedd y paent lliwgar wedi pylu, a'r metel oddi tano wedi rhydu. Erbyn hyn roedd y swings, y sleid, y rowndabowt a'r ceffylau bach ar sbrings, yn edrych yn druenus. 'Parc Apocalyptig' roedd Taid yn ei alw. Ond, trwy ofal ffyddlon Osian, o leia roedd yr holl offer yn y parc yn gweithio. Er bod Osian yn rhy fawr i'r swings gwthiai ei hun i mewn iddynt.

Ymhen ychydig daeth criw o hogiau yn eu harddegau i mewn i'r parc.

'Hei, mae Osh Tew 'ma,' gwaeddodd un ohonyn nhw ar y lleill.

Cochodd Osian.

'Ffag i bwy bynnag sy'n llwyddo i'w sbinio fo ar y rowndabowt!' gwaeddodd yr hogyn eto.

Edrychodd Mari ar ei chefnder. Ochneidiodd yntau, codi oddi ar y swing, a cherdded yn araf at y rowndabowt.

''Mlaen â chdi, Osh,' meddai'r arweinydd gan wenu'n gam.

Camodd Osian yn ofalus at y rowndabowt. Edrychodd Mari arno'n syn. Roedd yr olwg ar wyneb ei chefnder yn gwneud iddi deimlo'n sâl.

'Chdi gynta, Titch.'

Camodd y lleiaf o'r hogiau ymlaen. 'Gobeithio bo' chdi 'di colli pwysa ers y tro diwetha, Osian Tew,' meddai yntau gan afael yn un o fariau'r rowndabowt. 'Reit... un... dau... triiiiiiiii...'

Trodd wyneb Titch yn goch wrth iddo geisio gwthio'r rowndabowt, ond wnaeth o ddim symud modfedd.

'Dim ffag i chdi, Titch bach,' meddai'r arweinydd. 'Pwy sy nesa?'

Camodd hogyn arall ymlaen.

'A... Brymo... Ai can olwes relái on iw, Brymo, to pwt yorselff fforward ffor a tsalenj. Let's si iff iw can step yp tw ddy marc.'

'Ioaw gying tw geit it nyyw, Owsiaan,' meddai yntau mewn acen nad oedd cweit yn acen Brummie ond nad oedd cweit yn acen Bermo chwaith.

Gafaelodd yn y bar a griddfan ond doedd dim symud ar y rowndabowt, er iddo wthio'n galed.

'Ioaw jyst tw effin ffat, Owsiaan,' meddai Brymo gan chwysu.

Erbyn hyn roedd pen ac ysgwyddau Osian wedi crymu, a'i lygaid wedi dechrau llenwi â dagrau.

Daeth Mari ati'i hun yn sydyn. 'Dwi 'di cael llond bol ar hyn,' meddai wrthi'i hun gan neidio oddi ar y swing a cherdded tuag at y criw o hogiau.

'No ffag ffor iw, Brymo. C'mon hogia, oes 'na un ohonoch chi'n mynd i symud y lwmpyn 'ma?' meddai'r arweinydd gan ddal y sigarét yn uchel uwch ei ben. 'AW!' meddai yntau wedyn.

Edrychodd i lawr i weld beth oedd wedi achosi'r fath boen yn ei geilliau. Yno safai Mari, ei llaw wedi ffurfio dwrn a'i hwyneb yn fflamgoch. Syllodd yr arweinydd ar yr hogan oedd yn gwgu'n filain arno. Dechreuodd rhai o hogiau'r giang biffian chwerthin o dan eu gwynt. Disgynnodd y sigarét o law'r arweinydd. Crychodd ei wyneb mewn poen. Gafaelodd yn ei geilliau a disgyn ar y llawr. Dechreuodd yr hogiau eraill chwerthin, a chyn pen dim roedden nhw i gyd yn morio chwerthin.

Aeth Mari at Osian, gafael yn ei law, a'i arwain o'r parc.

'Wyt ti isho mynd adra, Osh?' gofynnodd.

'Nac 'dw,' meddai yntau heb aros i feddwl. 'Paid â deud wrth Mam be ddigwyddodd.'

'Pam ti'n gadael iddyn nhw neud hynna i ti?'

Llyncodd Osian ei boer a cheisio cuddio'r dagrau a ddaliai i fygwth. Ni ddywedodd 'run gair.

Ochneidiodd Mari. 'Wel, be wyt ti isho neud nesa 'ta?' gofynnodd.

"Na i ddangos y Llwybyr Cam i ti,' atebodd yntau a'i lais yn dal i grynu.

Gwasgodd Mari ei law wrth i'r ddau gerdded yn eu blaenau.

Ymhen rhyw ugain munud roedden nhw'n sefyll ar waelod y domen lechi. Er bod y Blaenau'n enwog am ei thomenni llechi ar un adeg, doedd dim llawer ohonyn nhw ar ôl bellach. Roedd y mynydd wedi adfeddiannu rhai, tra bod y rhan fwyaf o'r lleill wedi'u gwasgaru ar hyd a lled y wlad fel deunydd adeiladu ffyrdd (ffyrdd nad oedd yn cael eu defnyddio rhyw lawer bellach). Ond roedd y domen hon a'r Llwybyr Cam yn dal yno. Roedd rhyw bwyllgor rywbryd wedi penderfynu eu bod nhw'n nodwedd bwysig o'r dirwedd ac wedi brwydro i'w cadw.

Cawsai'r llwybyr troellog hwn ei adeiladu amser maith yn ôl fel y gallai'r chwarelwyr gerdded ar ei hyd i fynd at eu gwaith yn y chwarel. Flynyddoedd yn ddiweddarach, pan oedd llai o bobol yn gweithio yno, bydden nhw'n mynd i'r gwaith yn eu ceir. Eto i gyd, câi'r inclên wrth ochr y llwybyr ei ddefnyddio gan yr hogiau lleol wrth iddyn nhw, fel her, geisio gyrru eu beiciau modur i ben y domen. Ond gwaharddwyd hynny pan benderfynwyd gwarchod y llwybyr, a gosod goleuadau bach ar ei hyd fel ei fod i'w weld yn amlwg yn ystod y nos. Dysgodd Mari hyn wrth ddarllen y bwrdd dehongli, a oedd bellach wedi pylu, wrth waelod y domen.

'Hi, hi,' chwarddodd Osian, a oedd wedi dechrau dod ato'i hun. 'Dwyt ti'm yn gweld y llwybyr o fan hyn, ond mae o yno. Tyrd, gei di weld.'

Dechreuon nhw ddringo'r domen.

'Ti'n gallu'i deimlo fo, Mari?' holodd Osian gan

chwerthin wrth iddo ddechrau mwynhau ei hun unwaith eto. "Dan ni'n mynd 'nôl a 'mlaen wrth gerdded! Sbia, rŵan 'dan ni'n wynebu ffor 'ma. A rŵan...' meddai gan gymryd sawl cam ymlaen, 'dwi'n wynebu'r ffor arall!'

'Ia, dwi'n gweld, Osh,' meddai Mari yn mwynhau'r profiad yn llawer mwy wrth weld Osian wedi ymlacio'n llwyr. 'Ond faint o bell ydi'r copa?!'

Tua thri chwarter ffordd i fyny bu'n rhaid iddyn nhw aros i gael eu gwynt atynt. Teimlai Mari'n benysgafn wrth edrych i fyny a gweld amlinelliad tolciog y domen uwch ei phen, ac yna i lawr yr ochr serth oddi tani. Yn y pellter, gwelai fynyddoedd a bryniau'n ymestyn at y gorwel. Yng nghanol y rhain, wrth ochr llyn, roedd adfail concrit enfawr a edrychai bron fel hen gastell. O'i flaen gwelai bentref bach wedi'i wasgaru ar hyd lethrau'r bryn, ac eglwys hynafol yn ei ganol. I'r chwith roedd mynydd mawr crwn a'r lleuad yn codi'n araf uwch ei ben. Ar waelod y mynydd gwelai dref fechan yn swatio. Gallai glywed y synau – mamau'n gweiddi, plant yn chwerthin, babanod yn crio, cŵn yn cyfarth, tanau'n clecian, beic yn gwichian, morthwyl yn taro, moch yn rhochian, ac ieir yn clwcian.

Yn clwydo rhwng y creigiau duon a'r mynyddoedd roedd tref y Blaenau yn y pen uchaf, a rhannau o ddyffryn ffrwythlon i'w gweld i'r cyfeiriad arall. Roedd canol yr hen dref wedi'i adeiladu o gerrig a llechi, ond ar y cyrion ceid adeiladau newydd ar ffurf pebyll wedi'u gosod yn chwit-chwat ar hyd yr ychydig ddarnau o dir gwastad oedd ar gael. Roedd pobol fel petaent yn diferu o bob twll a chornel o'r lle. Tynnodd Mari anadl ddofn. Roedd hwn yn brofiad cwbl newydd iddi. Trodd i edrych ar y mynyddoedd distaw y tu ôl i'r dref. Yno roedd llu o felinau gwynt yn troelli'n araf i alaw'r awel, alaw a fu'n canu yn yr ucheldiroedd ers cyn dyfodiad dyn.

'Tyrd, Mari,' meddai Osian, a oedd wedi hen arfer â gweld yr olygfa islaw. 'Mae 'na rywbeth dwi isho'i ddangos i chdi.'

Cerddodd y ddau ymlaen ar hyd y llwybyr nes dod at gopa'r domen.

'Shhhhh,' meddai Osian gan roi ei fys ar ei geg a phlygu ar ei liniau, ac annog Mari i wneud yr un peth. Ar ben y domen roedd adfail yr adeilad lle roedd winsh yr inclên erstalwm, a hwnnw'n rhedeg yn gyfochrog â'r llwybyr. Cuddiodd Osian a Mari y tu ôl i'r adfail, a gwrando ar y sŵn a ddeuai o'r ochr arall.

'*Work, you low life, WORK!*' gwaeddai dyn.

Clywodd Mari sŵn chwip. Edrychodd yn bryderus ar Osian a rhoddodd hwnnw arwydd arni i gymryd cip i weld beth oedd yr ochr arall i'r adfail. Yn araf bach plygodd hithau ei phen gan dynnu ei hanadl i mewn yn sydyn. Agorodd ei llygaid led y pen. Ar y gwastad o'i blaen, lle roedd y chwarel yn arfer bod, roedd dros gant o bobl mewn carpiau, a'r rheiny wedi'u gorchuddio â llwch, yn troelli'n araf mewn un cylch mawr. Roedd yr olwg ar eu hwynebau yn ei hatgoffa o wyneb Osian wrth iddo eistedd ar y rowndabowt yn y parc. Teimlai'n sâl unwaith eto. Sylwai fod y bobl wedi'u clymu wrth olwyn fawr, a'u gwaith oedd ei throi'n ddiddiwedd.

'*PUSH, scum! PUSH!*' gwaeddai'r dyn yn eu canol. Roedd yn sefyll ar hen slab mawr o lechen â chwip yn ei law. Y tu ôl iddo roedd arwydd mewn llythrennau coch, glas a gwyn: 'BUSH ENTERPRISES TRANSNATIONAL ENERGY CORP.' Gwisgai dyn y chwip ddillad o liw caci a bŵts du am ei draed, a'r rheiny'n cyrraedd at ei bengliniau. Gwibiai ei lygaid culion o'r naill berson i'r llall er mwyn sicrhau na fyddai neb yn slacio.

'*YOU GOOD FOR NOTHING EFFIN FOREIGNERS! This will show you… yes it will… coming to our fair isle… thinking you'd come here to secure a better life… and take all our jobs… well we've given you an effin job, haven't we?… Hee hee… job and a half I'd say… this will effin show you!*'

Daliai'r bobol i droi'r olwyn. Dim ond wedyn y sylwodd Mari mai croen tywyll oedd gan y rhan fwya o'r bobol a weithiai yma.

'Mari! Wyt ti'n 'u gweld nhw?' sibrydodd Osian.

'Yndw,' sibrydodd hithau'n ôl. Daeth pen a llygaid Osian i'r golwg wrth ymyl Mari. Mae'n rhaid bod dyn y chwip wedi synhwyro bod rhywun yno, oherwydd edrychodd yn sydyn i gyfeiriad yr adfail. Rhewodd Mari ac Osian yn eu hunfan, a syllu arno fel sgwarnogod wedi'u dal yng ngolau lamp. Neidiodd y ddau y tu ôl i'r adfail.

'Ydi o wedi'n gweld ni?' gofynnodd Osian, yn fyr ei wynt.

'Dwi ddim yn gwybod,' meddai Mari, hithau hefyd yn anadlu'n gyflym.

'Be wnawn ni, Mari?'

'Yyyyy… dwi ddim yn gwybod… yyy… aros am eiliad, Osh, imi gael meddwl…'

Distawodd ei llais. Yno'n sefyll o'u blaenau ac yn edrych

i lawr arnynt roedd dyn y chwip. Edrychodd y ddau i fyw ei lygaid milain, gan fethu symud modfedd. Yr eiliad honno symudodd y domen oddi tanynt a disgynnodd y dyn i'r llawr. Rhuodd y ddaear a symudodd y domen unwaith yn rhagor. Cafodd Mari ac Osian eu hysgwyd yn ddidrugaredd. Dechreuodd waliau'r adfail ddisgyn o'u hamgylch wrth i'r ddau geisio cropian oddi yno. Disgynnodd un o'r cerrig ar y dyn, a dechreuodd Mari ac Osian lithro i lawr yr inclên. Fflachiai llechi'r domen heibio wrth iddynt ddisgyn yn is ac yn is... yna, tywyllwch.

'Mari?... Mari?'

Agorodd Mari un llygad ac yna'r llall. Roedd yr awyr yn llachar uwch ei phen. 'Osian?' sibrydodd, a'i gwddw'n llawn llwch.

'Ti'n iawn, Mari?' holodd yntau.

'Yndw, dwi'n meddwl, heblaw am ambell sgathriad. Ti?'

'Yndw.'

Cododd Mari ar ei heistedd ac edrych o'i chwmpas. Roedd Osian yn ceisio codi ar ei draed, a'i wyneb yn waed i gyd. Cododd Mari ei llaw i deimlo'i hwyneb, a sylwi bod gwaed ar ei dwylo hithau hefyd. Ceisiodd godi, ond disgynnodd yn ôl ar ei chwrcwd. Arhosodd am ychydig funudau cyn cropian yn araf at Osian. Rhythai yntau ar ei law, a oedd yn waed drosti. Trodd i edrych ar Mari a cheisio dweud rhywbeth, ond y cwbl a glywodd hi oedd rhyw synau aneglur.

'Ma popeth yn iawn, Osh,' meddai Mari. 'Fyddwn ni'n iawn.'

Gafaelodd Mari ym mraich ei chefnder ac eistedd yno am amser hir ymysg adfeilion y domen, gan geisio dygymod â'r hyn oedd newydd ddigwydd.

Pennod 5

Llygaid Iesu Grist ymhob man

Roedd y criw o bobl o amgylch Mari yn ei gorfodi i siglo o'r naill ochr i'r llall. Roedd pawb yn chwifio'u dwylo yn yr awyr uwch eu pennau, gan siantio rhyw dôn oedd yn anghytgordio bob hyn a hyn. Allai Mari ddim cofio am faint y buon nhw wrthi'n gwneud hyn, ond gwyddai fod ei breichiau hi'n brifo'n ofnadwy. Roedd bron i wythnos wedi mynd heibio ers iddi hi ac Osian gael codwm ar y domen yn ystod y ddaeargryn, ond daliai'r briwiau ar ei chorff i'w phoeni. Gadawodd i'w breichiau syrthio wrth ei hochr, ond ailgododd nhw'n sydyn iawn ar ôl gweld Nest yn gwneud ystumiau cas arni.

Yn yr eglwys roedden nhw, a honno'n orlawn. Y bore Sul hwnnw roedd Taid wedi gwneud ei orau i'w harbed rhag mynd i'r eglwys, drwy ddadlau ei bod hi ac Osian yn rhy wan yn dilyn y gwymp, ac y byddai eu gorfodi nhw i fynd yn greulon.

'Wel, mae'n ddrwg gen i,' meddai Nest, 'ond os nad awn ni i'r eglwys fydd gynnon ni ddim digon o fwyd i bara'r wsnos. Dwi'n dallt nad ydach chi'n cytuno hefo mynd i'r eglwys, Dad, ond weithia mae'n rhaid i anghenion corfforol dyn gael y flaenoriaeth ar ei anghenion ysbrydol. Mae'r ddau'n dod efo fi a Glend, a dyna fo.'

The New Church of the Holy Trinity oedd yr unig

eglwys yn y Blaenau bellach. Roedd hi wedi llyncu'r eglwysi a'r capeli eraill ers blynyddoedd. Sefydlwyd yr Eglwys hon wedi i genhadon o Eglwys newydd fawr yn America ymweld â'r Blaenau i baratoi rhaglen deledu ar yr ymdrech i geisio atgyfodi'r sefydliadau hynny oedd yn marw ar eu traed. Roedd un o'r cenhadon, y Parchedig Michael Angelo Maximus, wedi syrthio mewn cariad â'r Blaenau ac wedi penderfynu aros yno i genhadu ymhellach. Doedd neb yn siŵr a oedd y cariad hwnnw'n deillio o'i hoffter at y lle neu'r ffaith ei fod wedi cynhesu at yr her oedd yn ei wynebu yno. Beth bynnag am hynny, roedd ei ddulliau newydd o gynnal Eglwys wedi denu mwy a mwy o gynulleidfa'n wythnosol, a chyn bo hir y fo oedd yr unig Reithor yn y dref. Mae'n wir fod ei gynulleidfa wedi cynyddu'n sylweddol wedi i bawb gael eu gorfodi i gael gwared ar eu setiau teledu, ac i'r gynulleidfa gynyddu unwaith eto pan ddechreuodd roi pecyn bwyd i bawb fyddai'n mynychu ei wasanaethau. Ond doedd y Parchedig ddim i'w weld yn poeni am hynny.

Roedd un grŵp cyndyn – yr ymwrthodwyr – yn mynnu cynnal cyfarfodydd Cymraeg eu hiaith yn gyfrinachol yn nhai ei gilydd, ond roedd pawb arall dan ddylanwad y Parchedig Maximus.

Ymhen hir a hwyr cafodd y gynulleidfa orffwys eu breichiau unwaith eto, a gwneud eu gorau i eistedd yn gyfforddus ar feinciau oedd yn rhy fach i ddal yr holl bobol oedd yn ceisio eistedd arnyn nhw. Edrychodd Mari o'i hamgylch – roedd yr eglwys yn dywyll, a llenni trwchus wedi'u cau dros y ffenestri. Ond ym mhen blaen yr eglwys, ar yr ochr chwith, roedd yna fwlch bach rhwng y llenni, a hwnnw'n gadael y llafn lleiaf o olau'r haul i mewn. Cafodd Mari ei hatgoffa o weld llygedyn o olau haul yn treiddio trwy gymylau, ac am eiliad, gallai rhywun weld llafn o'r goleuni hwnnw'n disgyn at y ddaear. 'Mae Duw'n trio edrych i mewn i'r eglwys!' meddai wrthi hi'i hun.

'*Ladies and Gentlemen, boys and girls!*' gwaeddodd llais dros yr uchelseinydd. Trodd Mari mewn syndod a syllu at du blaen yr eglwys. Yno roedd allor, ac uwch ei phen arwydd mawr, '*The New Church of the Holy Trinity sponsored by Bush Enterprises Transnational Energy Corp.*' Uwchben hwnnw roedd model o Iesu Grist ar y groes. '*Please be upstanding for the Reverend Michael Angelo Maaaaximuuuuss!*' bloeddiodd y llais.

Cofiodd Mari fod Nest wedi pwysleisio wrthi pa mor bwysig oedd dilyn y gorchmynion yn fanwl. Roedd pobol nad oedd yn cydymffurfio yn cael eu herlid o'r gwasanaeth heb eu pecyn bwyd. Wrth gofio geiriau Nest, safodd Mari ar ei thraed.

Cafwyd saib byr, gydag ychydig o besychu nerfus a phawb yn edrych i gyfeiriad ochr y llwyfan. O'r diwedd daeth dyn byr, tew, i'r golwg – roedd ganddo fop o wallt brown ar ei ben a gwên yn arddangos llond ceg o ddannedd gosod sgleiniog. Cerddai'n araf bach ar draws y llwyfan, gan bwyso'n drwm ar ffrâm *zimmer*, cyn eistedd ar gadair aur enfawr ond blêr yr olwg wrth yr allor. Yn ôl pob sôn roedd y Parchedig Maximus wedi ennill y gadair flynyddoedd maith yn ôl fel darn o femorabilia mewn cystadleuaeth *phone-in* yn ystod rhaglen deledu o'r enw *Big Brother 21 – the showdown*.

'*Pleeaeeaease beeeeeee seeeeeeated!*' gwaeddodd y llais.

Dechreuodd pawb ymladd am eu seddau unwaith yn rhagor.

Cododd y Parchedig Michael Angelo Maximus feicroffon oddi ar y bwrdd aur o'i flaen. *'Beehawld the Faither!'* meddai mewn llais main oedd yn anodd ei ddeall. *'The Reverend Michael Angelo Maximus sayyyyyyys... Behold the Father!'* bloeddiodd yr uchelseinydd wedyn. Gwaeddodd rhai a sgrechiodd eraill wrth i bawb sefyll a chodi eu dwylo uwch eu pennau. *'Beehawld the Son!'* meddai'r Parchedig Michael Angelo Maximus. *'The Reverend Michael Angelo Maximus sayyyyyyys... Behold the Son!'* atebodd yr uchelseinydd. Cafwyd rhagor o sgrechian gorffwyll. Plygodd Maximus ei ben. Aeth pawb yn ddistaw. Yn araf bach, ac wrth godi ei ben, sibrydodd *'Behawld the Reverend Michael Angelo Maximus.'*

Aeth pawb yn wallgo – rhai'n gweiddi, rhai'n sgrechian, rhai'n chwibanu, ac eraill yn crio. Edrychodd Mari o'i chwmpas mewn syndod, a gweld o gornel ei llygad bod Nest yn gwneud arwydd arni i godi'i dwylo. Ufuddhaodd, gan ddal i edrych o'i chwmpas. Roedd dwylo Osian yn yr awyr hefyd, er ei fod yn eu gorffwys bob hyn a hyn cyn eu codi wedyn. Trodd Mari i edrych ar ei mam, a eisteddai wrth ei hymyl. Roedd ei dwylo hi'n uchel yn yr awyr, a'i hwyneb yn goch ac yn wlyb gan ddagrau. Deuai sŵn beichio crio o rywle'n ddwfn yn ei hymysgaroedd, i fyny'i gwddf, ac allan drwy ei cheg. Roedd meddwl ei mam yn amlwg wedi crwydro i rywle pell, pell i ffwrdd a sylwodd hi ddim ar Mari'n edrych arni.

Wedi i bawb eistedd daeth aelod o'r gynulleidfa ar y llwyfan, oedd yn dipyn iau na'r Parchedig Maximus, i sôn yn frwdfrydig sut roedd yr Arglwydd yn achub eneidiau. Ond doedd Mari ddim yn gwrando gan iddi sylwi fod pili-pala bach wedi dod trwy'r ffenest agored, a thrwy'r bwlch cul rhwng y llenni – drwy'r union fan lle'r oedd Duw yn ceisio edrych i mewn arnynt. Roedd yn hedfan yn uchel, o'r naill ochr y nenfwd i'r llall, fel petai'n goruchwylio'r gynulleidfa. Weithiau deuai i lawr tuag at aelod o'r gynulleidfa cyn esgyn yn ôl. Dilynodd Mari ei lwybyr, nes ei weld yn hedfan heibio'i hwyneb a glanio ar ysgwydd Osian. Wrth i Osian droi i edrych arno, cododd y pili-pala unwaith yn rhagor. Goleuodd wyneb Osian wrth ymestyn i afael ynddo, ond hedfanodd y pili-pala i ffwrdd oddi wrtho. Cododd Osian ar ei draed a dechrau dringo dros Glenda a Mari wrth geisio'i ddilyn.

'Osian!' sgrech-sibrydodd ei fam gan afael yng nghefn ei siwmper i geisio'i dynnu'n ôl i'w sêt. Ond roedd y pili-pala'n ormod o demtasiwn i Osian, a methodd Nest ei atal rhag dianc dros liniau gweddill y rhes. 'Osian!' gwaeddodd Nest unwaith eto. Ond ni chlywodd Osian ei gwaedd – roedd yn chwerthin yn uchel wrth ganolbwyntio ar geisio dal y creadur bach gwyn. Bob tro roedd y pili-pala o fewn ei gyrraedd, ac yntau'n ymestyn i'w ddal, symudai fymryn yn rhy bell oddi wrtho. Erbyn hyn roedd llygaid pawb – gan gynnwys yr aelod o'r gynulleidfa ar y llwyfan, a'r Parchedig Michael Angelo Maximus – wedi troi i wylio'r hyn a ddigwyddai yn y rhes tua chanol yr eglwys. Plygai Nest ei phen mewn cywilydd. Cyrhaeddodd y pili-pala ac Osian yr eil yng nghanol yr adeilad, ac anelu am y drws. Ond gan fod yr eil hefyd yn llawn o bobol, yn araf iawn y symudai Osian bellach.

'*STOP, BOY!*' taranodd yr uchelseinydd, ond erbyn hyn roedd Osian yn ei fyd bach ei hun. Os clywodd y gorchymyn o'r llwyfan, ni chymerodd unrhyw sylw ohono.

'*STOP HIM!*' A chlywyd y geiriau'n atseinio o amgylch yr eglwys, gan na cheisiodd unrhyw un atal y cawr oedd ar drywydd y pili-pala.

'*STOP HIM!*' Neidiodd dau o swyddogion yr Eglwys yn y tu blaen ar eu traed gan geisio gwthio'u ffordd tuag at Osian, ond roedd cyrff y gynulleidfa'n eu hatal hwythau hefyd. '*Out of the way! Out of the way!*' gwaeddent ar bawb wrth stryffaglu drwy'r dorf, ond doedd fawr o neb yn symud gan fod llygaid pawb yn dilyn hynt yr hogyn enfawr oedd ar ei ffordd tua'r drws.

'*Stop, Stop!*' gwaeddent. Ond roedd Osian eisoes wedi diflannu drwy'r drws, a doedd neb yno i wrando ar eu lleisiau taer.

Trodd pawb i edrych ar y swyddogion yn y tu blaen gan geisio dychmygu beth fyddai'n digwydd nesaf. Pawb heblaw am Nest – hynny yw – edrychai hi'n boenus ar ei thraed. Eisteddai'r Parchedig Maximus yn aflonydd yn ei sêt tra safai'r siaradwr yn anghyfforddus yn ei unfan. Wedi rhai eiliadau, tagodd yr uchelseinydd ei neges:

'*Ladieeess and gentlemen... Let's watch Saints... and Sinners!*'

Fflachiodd y sgrin fawr uwchben yr allor ac aeth y siaradwr o'r gynulleidfa yn ôl i eistedd. Ailddarganfu'r Parchedig Maximus ei hunanhyder wrth eistedd yn ei gadair, a gwenodd ar y gynulleidfa â golwg o ryddhad ar ei wyneb. Penderfynodd anwybyddu'r rebel a oedd newydd ddianc.

Fflachiai'r sgrin, a chlywid cerddoriaeth yn cael ei chwarae'n uchel a llais yn bloeddio wrth ailadrodd y geiriau *'Saaaaaints and Siiiinners!... Sponsored by Bush Enterprises Transnational Energy Corp.'*. Yn dilyn y gerddoriaeth, daeth wyneb arall i'r golwg.

'Ladies and gentlemen, this is Saints and Sinners. The show that lets you decide. Each week we expose three sinners from your town. We place them before you. You are the judge and the jury; we let you decide who should be saved and who has got to goooo.'

Edrychodd Mari o'i chwmpas. Roedd y rhan fwyaf o'r gynulleidfa ar flaen eu seddi.

'Our first sinner...' Dangosodd y sgrin ddelweddau cam o stryd yn y Blaenau, fel petai'r person oedd yn ffilmio yn dal y camera mewn un llaw ac yn cerdded ar yr un pryd. Dywedwyd bod Elfed Jones wedi bod yn bechadur ar hyd ei oes, yn gyfrifol am achosi merch i fod yn feichiog cyn ei phriodi, cyn iddo wedyn gael ysgariad. Roedd bellach yn byw mewn pechod ac yn yfed yn y dafarn bob nos. Trodd y camera i mewn trwy ddrws tafarn gan ddangos yr olygfa y tu mewn – pobol, dynion rhan fwyaf, yn siarad, yn chwerthin ac yn canu. Ond distawodd pawb y munud y gwelsant y camera. Pawb heblaw Elfed, oedd yn digwydd bod â'i gefn at y drws.

'Nain a Taid yn rhedeg ras
Rownd y tŷ a rownd y das;
Nain yn baglu dros y stôl,
Taid yn...'

Distawodd llais Elfed yn sydyn wrth iddo sylwi bod pawb arall wedi tawelu a bod llygaid y rhan fwyaf wedi'u hoelio ar ddrws y dafarn. Trodd, ac am eiliad roedd modd gweld yr ofn yn ei lygaid meddw wrth i rywun daflu sach dros ei ben a'i chlymu.

'*Our second sinner...*', a'r golygfeydd y tro hwn yn dangos rhai o strydoedd cefn y Blaenau. Leisa Jones, a honno'n feichiog cyn priodi Elfed Jones, oedd yr ail bechadur. Roedd ganddi dri o blant, a phob un ohonynt â thad gwahanol. Bellach, yn ôl y rhaglen, roedd yn byw mewn pechod gyda thad y pedwerydd plentyn roedd hi'n ei gario. Trodd y camera i mewn drwy ddrws ei thŷ. Gwelwyd y plant, a Leisa a'i chariad, o amgylch y bwrdd yn y gegin yn mwynhau pryd o fara a grefi. Stopiodd pawb fwyta y munud y daeth y camera i'r golwg. Pawb heblaw Leisa, oedd yn digwydd bod â'i chefn at y drws. Sylwodd fod llygaid pawb wedi'u hoelio ar ddrws y gegin. Trodd, ac am eiliad roedd modd gweld yr ofn yn ei llygaid blinedig wrth i rywun daflu sach dros ei phen a'i chlymu.

Yna'r trydydd pechadur... Y tro hwn roedd y camera yn dangos delweddau o dir mynyddig, a thyddyn bach yng nghornel y sgrin. Roedd Mr a Mrs Bachar wedi byw yn y Blaenau ers blynyddoedd, ac wedi symud yno'n wreiddiol i werthu *kebabs*. Symudon nhw i fyw yn uwch i fyny'r mynydd wedi iddynt ymddeol.

'*They have sinned,*' sgrechiodd y llais, '*because they do not worship our God, the God of Freedom. Instead, they worship the god of Terror!*' Trodd y camera trwy ddrws isel y tyddyn a dyna lle roedd yr hen gwpwl. Eisteddai'r dyn wrth y stof a hen gi wrth ei draed, tra oedd y ddynes wrth y bwrdd yn tollti dŵr o'r tegell roedd hi newydd ei godi oddi ar y stof. Chawson nhw ddim cyfle i ddweud gair cyn i rywun daflu sachau dros eu pennau a'u clymu.

'*Ladies and gentlemen…*' meddai'r llais dros yr uchelseinydd wedyn. '*You have seen the sinners. Now we put them before* you, *their judges!*'

Cerddodd y pedwar ffigwr ofnus ar y llwyfan, a'r gynulleidfa'n eu bwian a'u hisian bob yn ail. Trodd Mari i edrych ar Nest i weld beth roedd hi i fod i'w wneud. Roedd pen Nest wedi'i blygu, ac roedd deigryn yn ei llygaid. Trodd Mari'n ôl at y llwyfan a gweld bod Elfed a Leisa'n edrych ym myw llygaid ei gilydd, eu hofn wrth feddwl am yr hyn roeddent yn ei wynebu yn eu huno. Safai Mr a Mrs Bachar gan edrych ar y llawr.

'*SINNERS…*' bloeddiodd yr uchelseinydd. '*Have you anything to say…?*' Edrychai Elfed a Leisa fel petaent am ddweud rhywbeth, ond ddaeth 'run gair o'u genau. O geg Leisa daeth sŵn cyfogi. Daliai Mr a Mrs Bachar i edrych ar y llawr.

'*Fey're piwar ffilff!*' gwaeddodd llais Essexaidd o'r gynulleidfa.

'*Yea, down wif fem all!*' gwaeddodd un arall.

'*Well, sinners…*' meddai'r llais dros yr uchelseinydd. Aeth yn ei flaen i esbonio bod y drwgweithredwyr wedi cael eu cyfle olaf i amddiffyn eu hunain, a'i bod hi'n bryd iddynt wynebu eu haeddiant. Rhoddodd orchymyn i'r gynulleidfa godi eu teclynnau pleidleisio. Os oeddent am arbed Elfed, yna rhaid oedd pwyso'r botwm coch. Os am arbed Leisa, y botwm gwyn. Ac os am arbed Mr a Mrs

Bachar, y botwm glas. Bu distawrwydd wrth i'r rhan fwyaf bwyso botymau'r teclyn yn eu llaw.

Edrychodd Mari ar Nest am gyfarwyddyd, ond roedd hi'n dal i edrych ar y llawr.

'*Some audience members have not voted yet,*' meddai'r uchelseinydd yn filain. '*We know who you are. Vote now, or your food packages will be retained. Vote now.*' Edrychodd Nest ar Mari, a dagrau'n llifo i lawr ei bochau. Caeodd ei llygaid yn dynn cyn pwyso botwm ar y teclyn yn ei llaw. '*Well done. There is still one person left to vote. Vote now, or everyone's food packages will be retained.*' Aeth ebychiad trwy'r gynulleidfa. Doedd Mari ddim eisiau pwyso botwm.

'Vawt,' gwaeddodd y llais Essexaidd.

'Yea vawt!' gwaeddodd un arall.

'VAWT, VAWT, VAWT!' siantiodd y gynulleidfa. Teimlai Mari fod llygaid pawb arni.

'VAWT!' sgrechiodd y gynulleidfa. Caeodd ei llygaid a phwyso un o'r botymau.

'*Ladies and gentlemen, the votes are in and we can reveal that the sinners deservedly sent to hell this week are... Mr and Mrs Bachar.*'

Ebychodd Elfed a Leisa, a chofleidio am y tro cyntaf ers eu priodas ddeng mlynedd yn ôl. Safai Mr a Mrs Bachar yn llonydd, gan edrych ar ei gilydd. Ar y llwyfan daeth dau ddyn enfawr mewn gwisg ddu a'r geiriau '*Bush Enterprises Transnational Energy Corp.*' wedi'i sgrifennu ar eu cefnau, gan afael yn Mr a Mrs Bachar a'u hebrwng oddi yno. Daliai Elfed a Leisa i sefyll ar y llwyfan, yn ansicr beth i'w wneud, cyn sylweddoli eu bod yn rhydd i fynd. Mewn distawrwydd llwyr, gan ddal i afael yn dynn yn ei gilydd, gadawsant y llwyfan a gwneud eu ffordd yn araf bach trwy'r gynulleidfa, cyn dianc allan drwy'r drws yng nghefn yr eglwys.

Safodd y Parchedig Michael Angelo Maximus a chyhoeddodd yr uchelseinydd, *'Ladies and gentlemen... the Reverend Michael Angelo Maximus says... let that be a lesson to you all!'* Cododd y gynulleidfa ar eu traed a dechrau siantio unwaith eto. Wrth siglo'n ôl ac ymlaen, yn ôl ac ymlaen, cododd eu siant yn uwch ac yn uwch gyda phob symudiad.

Dechreuodd y ddynes o flaen Mari grynu. Gwaeddodd rhywun yn uchel o ben pella'r eglwys wrth i'r gynulleidfa ddal i siantio. Clywodd Mari rywun yn yngan geiriau rhyfedd, a sylwodd fod ei mam wedi dechrau gwneud yr un sŵn â chynt gan godi'i breichiau yn yr awyr. Teimlai Mari'n sâl, ond wrth lwc daeth y cyfan i ben yn sydyn, a phawb yn rhydd i adael yr eglwys.

Ar ôl cyrraedd adref, cadwodd Nest y pecynnau bwyd yn y cwpwrdd, heb ddweud 'run gair. Roedd Taid wedi gadael nodyn i ddweud ei fod wedi dod ar draws Osian yn rhedeg ar ôl y pili-pala, a'i fod wedi mynd â fo i hel llus. Ar ôl bwyta'u cinio dydd Sul, aeth Glenda i orwedd ar y gwely tra bu Nest yn gwau yn y parlwr. Ciliodd Mari o'r tŷ ac aeth i garafán ei thaid. Eisteddodd mewn cadair fawr felen, a gadael i belydrau'r haul – a dreiddiai drwy'r ffenest – ei gorchfygu a'i harwain i drymgwsg breuddwydiol.

Pennod 6

Pelydrau'r haul yn treiddio drwy ddail y coed

Safai Mari mewn llannerch, yn gwrando ar aderyn du yn canu mewn coeden uwch ei phen. Gwelai Osian a'i thaid yn hel llus ym mhen pella'r llannerch ac yng nghanol y llannerch roedd hydd. Disgleiriai'i amlinelliad yng ngolau'r haul a syllai'n syth i lygaid Mari. Aeth hithau ato a phenlinio o'i flaen. Ni ddaeth unrhyw sŵn o geg yr hydd, ond teimlai Mari ei fod yn dweud wrthi am beidio â phenlinio. Safodd ar ei thraed, a synhwyro bod yr hydd yn awyddus iddi ddringo ar ei gefn.

Ar gefn yr hydd teimlai Mari ei bod yn gweld popeth yn gliriach. Gwelai bob manylyn o'r llannerch o'i hamgylch – bob cell o bob organeb, bron. Trodd yr hydd i wynebu pen pella'r llannerch, ond doedd dim golwg o Taid nac Osian yn unman. Ar gangen coeden o'i blaen gwelai dylluan yn edrych arni. Clywai sŵn pawennau'n troedio wrth ei hochr. Edrychodd i lawr a gweld milgi. Syllodd yntau arni a gwenu.

Daliai'r hydd i symud yn ei flaen, a throdd Mari i weld y dylluan yn eu harwain o'r llannerch ac ymhellach i mewn i'r goedwig. Sylwodd fod llwybyr yn troelli trwy'r coed. Wrth i'r hydd ei chario ar ei hyd, edrychodd Mari o'i hamgylch drwy ei llygaid newydd. Roedd boncyffion y coed yn drwchus ac yn gadarn, a'r rhisgl trwchus yn ffurfio patrymau o bob siâp. Tyfai gwahanol fathau o winwydd i fyny'r coed. Ac wedyn sylwodd ar y creaduriaid – y trychfilod yn gyntaf. Roedd miloedd ar filoedd ohonynt, rhai'n heidio i fyny ac i lawr y boncyff, rhai'n heidio dros ei gilydd, rhai'n tyllu i mewn i'r boncyff, rhai'n cario dail, rhai'n cario corff trychfil arall, rhai'n ymlusgo'n araf trwy rialtwch y gweddill, a rhai'n aros yn llonydd fel pe baen nhw'n gwylio pob dim. Doedd Mari erioed wedi gweld cymaint o drychfilod mewn un lle ar yr un pryd o'r blaen.

Wedyn sylwodd ar y creaduriaid oedd ychydig yn fwy eu maint – ar yr adar a'r anifeiliaid bach ar y canghennau. Prin bod digon o le iddynt. Siglai'r canghennau o dan eu pwysau wrth iddynt wthio yn erbyn ei gilydd wrth geisio dal eu gafael, gan arwain at ambell ffrae wrth i un wthio ychydig bach gormod ar y rhai wrth ei ymyl. Sylwodd wedyn ar y creaduriaid mwyaf oedd yn troedio ar lawr y goedwig – anifeiliaid o bob siâp a lliw, eu cyrff yn plethu rhwng y coed a rhwng ei gilydd i greu un patrwm symudol mawr. 'Iesgob,' meddai Mari wrthi'i hun, 'mae fel petai holl greaduriaid y byd yn cuddio yma.'

Ymhen ychydig amser daethant allan o'r goedwig. Erbyn hyn hedfanai'r dylluan ymhell o'u blaenau. Dechreuodd yr hydd, a'r milgi wrth ei hochr, redeg yn gynt ac yn gynt, a gafaelai Mari'n dynn am wddf yr hydd rhag disgyn oddi ar ei gefn. Roedd yr haul wedi diflannu a gwelai dirwedd hirfaith yn ymestyn o'u blaenau, yn wag a llwm. Dalient i redeg ond diflannodd y dylluan o'u blaenau a theimlai Mari'n unig yn y gwacter mawr oedd o'i hamgylch.

Caeodd ei llygaid am rai eiliadau, er mae'n rhaid eu bod ar gau'n hirach na hynny oherwydd erbyn iddi eu hagor eto roedd bryn i'w weld ar y gorwel. Ar ben hwnnw gwelai smotyn du, ac wrth i'r hydd a hithau agosáu, trodd yn goeden. Coeden ddu, heb ddail. Wrth gyrraedd bôn y goeden, sylwodd Mari fod y dylluan yn eistedd ar un o'r canghennau uchaf. Cyfogodd wrth sylweddoli bod y dylluan honno'n pydru a bod cynhron yn disgyn o'i hadenydd i'r llawr. Yno roedd mochyn – yr un tewaf a welsai Mari erioed – yn sglefrio dros y cynhron. Edrychodd hwnnw arni am eiliad a gwenu gwên ryfedd. Chwipiai gwynt oer o'u hamgylch, a theimlai Mari wedi rhynnu.

Clywodd y milgi'n cyfarth. Edrychodd i fyny, ac yn dod tuag atynt, dros ddiffeithwch diddiwedd arall, roedd miloedd ar filoedd o bobol – o bob oed, siâp a lliw – a phawb yn amlwg yn ffoi rhag beth bynnag oedd y tu ôl iddynt. Roedd gan rai geffylau a thrapiau, eraill fulod, a rhai'n dibynnu'n llwyr ar bacio eu holl eiddo, yn ogystal â'u babanod, a'u gosod mewn bagiau ar eu cefnau. O'u cwmpas cerddai eu plant a'u hanifeiliaid dof. Wrth i'r rhai ar flaen y dorf agosáu, sylweddolodd Mari eu bod wedi teithio ers amser hir. Doedd dim ôl gorffwys ar grychau llychlyd eu hwynebau. Ymlaen roedd y nod, ymlaen yn unig.

Dechreuodd yr hydd symud i lawr y bryn ac i ganol y dyrfa, gyda Mari ar ei gefn a'r milgi wrth eu hochr. Trodd pawb i edrych, ac roedd cwestiwn ar wyneb pob un. 'Pam?' roedd yr wynebau'n holi. 'Pam? Pam?' Ond teimlai Mari, rhywsut, eu bod yn eu calonnau'n gwybod beth oedd yr ateb.

Wrth wasgu yn erbyn y dorf, sylwodd Mari fod y bobol yn edrych yn fwyfwy poenus. Roedd llai a llai ohonynt hefyd wrth iddi symud yn ei blaen. Cyn pen dim, gwelodd beth oedd achos hyn i gyd. Tu ôl i'r bobol, yn llifo tuag atynt, roedd ton o fwd du trwchus a hwnnw'n llyncu pob dim yn ei lwybyr, gan gynnwys y bobol. Sylwodd Mari ar draed, dwylo, ambell wyneb, yn troi a throelli yn y düwch… Clywodd y milgi'n cyfarth unwaith eto, a throdd mewn pryd i'w weld yntau'n diflannu i mewn i'r mwd.

Dim ond yr hydd, Mari a'r mwd oedd ar ôl bellach. Yn araf bach, gwnaeth yr hydd ei ffordd drwy'r môr o fwd. Caeodd Mari ei llygaid wrth iddynt deithio fel hyn am oriau. A hithau'n lled-gysgu, clywodd y geiriau, 'Mae'r ddaear yn crio, Mari. Mae'n ceisio'i glanhau ei hun.'

Agorodd Mari ei llygaid yn sydyn wrth deimlo diferyn mawr o law yn taro'i gwar. Teimlodd un arall ar ei thrwyn, ac un arall ar ei llaw, ac un arall, ac un arall. Y funud nesaf roedd y glaw yn llifo drosti. Edrychodd drwy'r llen dryloyw oedd yn rhedeg dros ei llygaid ac i lawr ei hwyneb. Ni welai ddim o'i chwmpas ond llwydni, a llifogydd yn ymestyn am filltiroedd a'r filltiroedd.

Ddyddiau'n ddiweddarach daethant allan yr ochr arall a chael eu taro gan wres aruthrol. Trodd Mari ei phen, ac am eiliad gwelodd enfys hardd yn yr awyr cyn i'r glaw gilio a'r bwa ddiflannu. Ond ymlaen roedd y nod, a'r mwd erbyn hyn wedi sychu a chaledu, a'r ddaear yn graciau i gyd fel siâp gwe pry cop mawr ar hyd y llawr. Roedd y distawrwydd o'u cwmpas yn llethol.

Synhwyrodd Mari fod yr hydd wedi ymlâdd. Prin y gallai roi un carn o flaen y llall. Disgynnodd Mari oddi ar ei gefn a cherdded wrth ei ochr, er bod y ddaear yn llosgi'i thraed. Roedd yr hydd yn gwanhau, ac o'r diwedd disgynnodd ar ei liniau. Penliniodd Mari wrth ei ymyl. Clywodd y geiriau, 'Dwi wedi dangos y byd i ti, Mari. Rŵan does gen i ddim ar ôl i'w ddangos i ti.' Caeodd yr hydd ei lygaid a llonyddu.

Edrychodd Mari o'i hamgylch, ond doedd dim byd i'w weld heblaw anialwch llosg, poeth yn ymestyn i bob cyfeiriad. Teimlai'n fychan ofnadwy ar ei phen ei hun yn y diffeithwch eang hwn. Beth roedd hi i fod i'w wneud rŵan? Doedd yna neb i'w harwain, a doedd ganddi ddim syniad i ba gyfeiriad y dylai fynd. Safodd yn ei hunfan yn ddigalon. 'Be ddaw ohona i?' meddyliodd.

Yna, fel pe bai'n ateb ei chwestiwn ei hun, tynnodd anadl ddofn o'r aer chwilboeth a chodi ar ei thraed. Gam wrth gam, cerddodd yn boenus ar ei phen ei hun drwy'r anialdir oedd yn ymestyn yn ddiddiwedd o'i blaen. Teimlai ei hun yn llosgi'n grimp dan belydrau ffyrnig yr haul. Roedd syched ofnadwy arni. Teimlai ei cheg, ei gwddf, ac wedyn ei chalon yn llosgi. Disgynnodd ar lawr, heb allu dioddef rhagor. Ond rhywle'n ddwfn y tu fewn iddi, clywodd sŵn fel peipen yn dadflocio. O'r dyfnderoedd hynny, teimlai'r unig leithder oedd ar ôl ynddi yn gwneud ei ffordd trwy'i chorff, ac i mewn i'w llygaid. Daeth allan o'i llygad chwith fel deigryn, a disgyn ar y mwd crasboeth. Gwelodd Mari'r lleithder yn llenwi un o'r craciau yn y mwd. Disgynnodd ar ei phen i'r llawr. Llewygodd.

Pennod 7

Calon Mari'n dal i losgi

'Deffra, Mari... deffra.' Agorodd Mari'i llygaid a gweld Nest yn gwenu arni. 'Tyrd, Mari. Ti 'di cysgu yn y gadair 'na drwy'r nos.'

Caeodd Mari'i llygaid eto a'u hailagor nhw'n araf. Edrychodd o'i chwmpas. Roedd y diffeithwch poeth wedi diflannu ac roedd hi'n ôl yn y garafán. Teimlodd eiliad o ryddhad, ond yn sydyn dechreuodd synhwyro nad oedd popeth yn iawn. Doedd yr unigrwydd a deimlodd yn ei breuddwyd ddim wedi'i gadael.

'Mae Taid 'di bod adre,' meddai Nest wedyn. 'Daeth o 'nôl neithiwr. Doedd o ddim isho dy ddeffro di.'

Eisteddodd Mari i fyny wrth weld yr olwg ddifrifol ar wyneb Nest.

'Mari, dwi isho i ti ddod i'r tŷ. Dydi dy fam ddim yn teimlo'n dda. Tyrd.'

Caledodd y teimladau anesmwyth y tu mewn iddi wrth iddi ddilyn Nest o'r garafán, ar hyd llwybyr yr ardd, trwy'r gegin ac i fyny'r grisiau. Bu'n rhaid aros y tu allan i ddrws llofft Osian, lle'r oedd Glenda'n gorwedd yn y gwely.

'Mae dy fam yn sâl iawn, Mari,' meddai Nest wrthi.

Syllodd Mari ar y swigod yn y paent ar y drws.

'Ti'n dallt be dwi'n ddeud, Mari?'

Roedd rhai o'r swigod yn llawn, ond roedd un wedi byrstio o flaen ei llygaid.

'Mari?'

Roedd o'n debyg i gwmwl a oedd newydd wagio ei law.

'Awn ni i mewn, Mari?' holodd Nest wrth agor y drws.

Cyn cerdded drwy'r drws, sylwodd Mari'n ofalus ar y llofft: y lluniau o Superman wedi pylu ar y papur wal; llun y dyn mewn ffrâm – tad Osian, a fu farw yn y rhyfel; ochr las y gwely, a'r cynfas gwyn wedi crychu ar y fatres; siwtces llychlyd o dan y gwely; carped o liw coch tywyll â phatrwm prysur drosto i gyd. Ar y carped roedd sanau budron Mari ers y diwrnod cynt.

'Tyrd i ista fan hyn,' meddai Nest wrthi gan osod cadair bren wrth erchwyn y gwely. Wedi iddi eistedd, syllodd Mari ar yr uniad rhwng un darn o bapur wal a'r un nesaf ato. Doedd y ddau ddim yn cyfateb. Roedd pen un Superman ar goll.

'Drycha arna i, Mari,' meddai llais gwanllyd.

Trodd Mari i edrych ar ei mam. Llosgai ei chalon a daeth dagrau i'w llygaid, ond wnaeth hi ddim crio.

'Dwi'n sâl, Mari.'

Dros nos roedd wyneb main ei mam wedi troi'n feinach fyth. Roedd ei chroen, er ei fod yn byrlymu o chwys, yn edrych yn sych. Roedd y crychau ar ei thalcen yn fwy eglur ac wedi troi'n graciau dwfn.

'Mae'r doctor wedi bod yma,' meddai Nest. 'Mae twymyn ar dy fam ... Malaria... a does dim cyffuria ar ôl yn y Blaenau.'

Aeth at ben y gwely a gwlychu gwlanen yn y bowlen o ddŵr oer ar y cabinet. Plygodd y wlanen a'i gosod yn ofalus ar dalcen Glenda.

'Mae'r doctor wedi dweud wrthon ni am weddïo.'

Aeth Nest allan o'r ystafell, gan adael Mari i eistedd gyda'i mam.

'Mari annwyl.' Cododd Glenda'i llaw yn llipa a gafael yn llaw ei merch. Gwingodd Mari wrth deimlo'r chwys oer rhwng ei llaw hithau a llaw ei mam.

'Dwi'n marw, Mari.' Syllodd Mari'n syth o'i blaen. ''Nest ti 'nghlywed i, Mari? Mari?'

Nodiodd Mari.

'Dwi isho i chdi wybod 'mod i'n dy garu di. Dwi 'di dod â ti mor bell â hyn, Mari, ond bydd yn rhaid i ti fynd yn dy flaen ar dy ben dy hun o hyn allan. Ti'n gry, Mari, yn gryfach na fi. Dwi'n gwybod y medri di lwyddo.'

Teimlai Mari haen o unigrwydd yn ei gorchfygu – unigrwydd ganwaith yn fwy dwfn na'r hyn a deimlodd yn ei breuddwyd.

'Mi fydd Taid, Osian a Nest yma i dy helpu di. Ond bydd yn rhaid iti sefyll ar draed dy hun o hyn ymlaen.'

Gwenodd Glenda'n drist wrth i Mari edrych arni. Er i Mari wneud ei gorau i beidio â chrio, gwasgodd un deigryn allan o'i llygad a disgyn ar gynfas y gwely. Cododd ar ei thraed a mynd i orwedd wrth ochr ei mam. Gafaelodd hithau amdani a mwytho'i gwallt, fel y gwnaeth y noson gynta honno pan gysgon nhw yn llofft Osian.

'Oes rhaid iti farw, Mam?' gofynnodd Mari.

'Oes, Mari bach. Oes,' atebodd.

Ceisiai Mari ddychmygu'r byd heb ei mam. Cwympodd deigryn arall o'i llygad, a blasodd yr halen wrth iddo lanio ar ei gwefus. Gorweddai'r ddwy'n llonydd, y fam yn gafael yn dynn yn ei merch, am amser hir.

O'r diwedd, daeth Nest i mewn atyn nhw. 'Tyrd 'ŵan, Mari,' meddai'n ddistaw.

Roedd Glenda'n cysgu erbyn hynny, a llusgodd Mari'i hun o dan fraich ei mam er mwyn gallu codi o'r gwely. Arweiniodd Nest hi i lawr i'r parlwr a'i rhoi i eistedd ar y soffa yn wynebu'r ffenest. Er ei bod yn bwrw glaw y tu allan, mae'n rhaid bod yr haul allan yn rhywle hefyd gan fod enfys yn creu llinellau cryfion ar gefndir llwyd y cymylau. Eisteddodd Mari'n llonydd ar y soffa a syllu drwy'r ffenest. Wnaeth hi ddim sylwi ar Nest yn gadael y stafell, a chlywodd hi mo'r griddfan a ddaeth o'r llofft. Sylwodd hi ddim chwaith ar Nest yn gadael y tŷ i fynd i nôl y doctor. Welodd hi mo'r doctor yn cyrraedd, yn mynd i fyny'r grisiau, ac yn gadael ymhen sbel, gan ymddiheuro nad oedd wedi gallu gwneud mwy i Glenda. Welodd hi mo Nest yn mynd i'r gegin i wneud panad ac wedyn yn beichio crio dros y banad honno. Na. Eisteddai Mari'n llonydd ar y soffa drwy'r cyfan, yn edrych allan drwy'r ffenest, gan deimlo fel petai rhywun yn dod ati'n araf bach, â phâr o siswrn mawr yn ei law, i dorri ei chalon allan, ei chloi mewn bocs, a chladdu'r bocs yn rhywle dwfn a thywyll.

Dyna'r noson waethaf ei bywyd i Mari. Prin y gallai hi edrych ar Nest. Roedd llygaid Nest yn ddu gan alar, a'i hwyneb yn ddifynegiant. Doedd hi ddim yn crio bellach – roedd y rhan fwyaf o'i dagrau eisoes wedi'u gwasgaru.

Eisteddodd Mari ar y soffa yn y parlwr am oriau, heb wybod beth arall i'w wneud. Roedd fel petai rhywun wedi'i tharo yn ei stumog, a'r holl anadl wedi dianc o'i hysgyfaint. Doedd hi ddim yn gwybod beth a'i sbardunodd i godi oddi ar y soffa o'r diwedd, a cherdded i'r gegin, ond dyna wnaeth hi. A dyna lle roedd Nest, yn eistedd ar gadair, a phanad oer o'i blaen. Edrychodd Nest arni a heibio iddi ar yr un pryd. Gwyddai Mari ar unwaith fod ei mam wedi marw. Edrychodd yn ymbilgar ar Nest, gan obeithio y gallai wneud iddi deimlo'n well, ond doedd Nest ddim yn gallu cynnig y gymwynas honno iddi. Doedd neb yn gallu.

Ymhen hir a hwyr, daeth Osian a Taid yn eu holau, ar ôl bod yn plannu letys yn y rhandir. Osian ddaeth trwy'r drws gynta, a'i wyneb yn disgyn wrth iddo synhwyro'r galar yn y gegin. Dechreuodd ei wefus isa grynu, a disgynnodd deigryn ar ei foch. Er nad oedd yn gwybod beth oedd achos yr holl alar, doedd hynny ddim yn bwysig i Osian. Roedd y ffaith fod pobol yn drist yn ddigon iddo fo. Felly y bu erioed, yn uniaethu â theimladau'r rhai oedd yn agos ato.

Daeth Taid i mewn ar ei ôl, a synhwyrodd yntau'r galar ar unwaith. Trodd ei lygaid i gyfeiriad Nest. Doedd dim rhaid iddi ddweud gair. Gwelai Mari ei wyneb yn datgymalu.

Gwyliai Mari'r cyfan fel pe bai hi ddim yno go iawn. Eisteddodd Taid wrth y bwrdd. Rhoddodd ei ben yn ei ddwylo a daeth sŵn rhyfedd o'i geg. Daliai Osian i sefyll wrth y drws a'r dagrau'n llifo i lawr ei wyneb. Y dagrau hynny oedd yr unig bethau a symudai yn y stafell. Roedd fel petai'r teulu'n credu pe baen nhw'n aros yn ddigon llonydd, y gallen nhw rywsut atal amser rhag symud yn ei flaen, a'i droi'n ôl hyd yn oed.

Ac felly y buon nhw trwy gydol y fin nos. Roedd yn rhaid gwneud swper, ei fwyta, a pharatoi am y gwely, wrth gwrs. Ond dim ond symud eu cyrff a wnaent. Roedd eu heneidiau wedi'u rhewi yn eu hunfan – un Taid a Nest wrth y bwrdd, un Osian wrth y drws cefn, ac un Mari wrth ddrws y parlwr – yn cynnal gwylnos i'r enaid oedd ar fin eu gadael.

Ymhen hir a hwyr, aeth pawb am y gwely. Cysgodd Mari yn y gwely gyda Nest y noson honno, ac Osian ar fatras ar lawr y stafell gan fod corff Glenda yn llofft Osian. Er gwaethaf ei dristwch, cysgodd ar ei union wedi i'w ben daro'r gobennydd. Nid felly Mari, na Nest chwaith. Bu'r ddwy'n troi a throsi am oriau, yn crio gweddill eu dagrau. Gafaelodd Mari yn llaw ei modryb, gan chwilio am gysur.

'Wsti, Mari,' meddai Nest rhwng ei dagrau. 'Dwi'n cofio'r adeg pan nad oedd malaria yn y Blaenau. A'r adeg pan oedd cyffuriau ar gael i bwy bynnag oedd yn sâl,' ychwanegodd.

Daliai Mari i afael yn dynn yn llaw ei modryb, gan gau ei llygaid a cheisio dychmygu byd o'r fath.

Pennod 8

Llenwi'r gwacter

Roedd bol Mari'n llawn o de a chacennau. Doedd hi erioed wedi yfed na bwyta cymaint yn ei bywyd. Ers i'w mam farw roedd llif di-ben-draw o bobol wedi galw yn y tŷ, a phawb yn dod â chacen neu fara brith hefo nhw. Roedd hyn yn arwydd o barch tuag at y teulu gan fod cynhwysion cacen yn brin ofnadwy, a sawl un wedi defnyddio'r cynhwysion roedden nhw'n eu cadw at y Dolig.

Doedd Mari ddim wedi arfer gweld cymaint o bobol yn galw i'w gweld, gan nad oedd ei thad yn fodlon i bobl alw yn eu cartref yn Ysbyty Ifan. Eisteddai mewn cadair roedd Osian wedi'i symud i gornel y parlwr, er mwyn i'r bobol ddiarth eistedd ar y soffa. Gadawodd i'r llif di-ben-draw roi mwythau iddi, a'i bwydo â'u cacennau. Doedd y teimlad o fod ar goll ddim wedi'i gadael, ond o leiaf roedd ei bol yn llawn am unwaith.

'Wel y greadures druan; bechod, yndê; wel 'y ngenath fach i,' dywedai'r bobol wrthi. Roedd rhai'n ei chyfarch mewn llais uchel wrth afael ynddi, neu'n mwytho'i gwallt, neu'n rhoi sws fawr ar ei boch. Roedd eraill yn eistedd heb ddweud gair, a'r dynion yn aml yn ei chyfarch wrth sefyll ger y wal neu'r drws ac edrych yn anghysurus.

Wrth i'r bobol ddiarth yfed eu paned, roedden nhw'n holi Nest yn ddiddiwedd.

'Aeth hi'n ddi-boen, Nest?'

'Weddol, do.'

Ceisiai Mari gofio amgylchiadau marwolaeth ei mam, ond methai.

'Mi fydd Mari'n aros efo chi, mae'n siŵr.'

'Bydd, wrth gwrs – am y tro, o leia.'

Gobeithiai Mari'n arw nad oedd hyn yn golygu y byddai'n rhaid iddi fynd yn ôl at ei thad yn y pen draw.

'Sut mae Mr Wilias yn dygymod â'r brofedigaeth?'

'Fel mae o'n arfar dygymod â phethau fel hyn. Mae o'n treulio llawer o'i amser i lawr yn y rhandir ar ei ben ei hun.'

Doedd Mari ddim wedi gweld ei thaid rhyw lawer ers marwolaeth ei mam. Roedd hi'n ei golli ac am iddo ei chysuro. Tybed oedd hi wedi'i ddigio fo mewn rhyw ffordd?

Atebai Nest yr un cwestiynau drosodd a throsodd wrth i wahanol bobol eu holi. Wedi holi eu cwestiynau, edrychai'r bobol ar y llawr gan ysgwyd eu pennau a dweud 'uffarn o beth' yn ddistaw bach wrth sipian eu paneidiau te.

Bydden nhw'n codi wedyn, ac yn mynd at y drws, gan gynnig gwneud unrhyw beth i helpu, a dweud wrth Nest am gysylltu yn hytrach na chario'r baich cyfan ar ei hysgwyddau. Rhoddai'r merched hŷg iddi, neu afael yn dynn yn ei llaw, a byddai'r dynion yn rhoi pat bach anystwyth ar ei hysgwydd. Taflent olwg betrusgar ar Mari'n eistedd yn unig yn y gornel. Cyn i un criw fynd, clywid cnoc arall ar y drws wrth i'r bobol nesa gyrraedd. Roedd fel petai'r holl ardal wedi cynllunio gyda'i gilydd i wneud yn siŵr na fyddai'r teulu na Mari Wyn ar eu pennau eu hunain am eiliad; fel petai'r teulu ar fin boddi a bod y teulu, ffrindiau a chymdogion yn ceisio creu rafft o'u consýrn i'w cadw uwchben y dŵr. Er bod Mari'n teimlo bod y rafft honno'n ei gorlethu weithiau, eto i gyd roedd hi'n ddiolchgar amdani.

Eisteddai yn ei hunfan, yn syllu ar lun ar y wal o wraig ganol oed a chanddi freichiau cadarn. Syllai Mari arni o ddydd i ddydd gan edmygu ei gwallt du wedi'i osod mewn bynsen, a'r gwallt hwnnw mor anghyffredin o ddu i rywun o'i hoed hi.

Un bore, deffrodd Mari a sylweddoli bod y ddynes yn y llun wedi dod yn fyw, ac yn symud o amgylch y tŷ fel petai'n gyfarwydd iawn â'r lle. Doedd hi ddim yn talu llawer o sylw i Mari, nac i neb arall chwaith, ond gallai Mari weld bod ei llygaid, dan ei hamrannau, yn las a bywiog. Buasai Mari wedi hoffi cael hŷg ganddi. Doedd neb arall fel petaen nhw'n sylwi ar y ddynes – wel, neb heblaw Taid, a roddai ambell winc arni. Ond roedd hi yng nghanol pob dim a ddigwyddai ar yr aelwyd. Pan fyddai ymwelwyr yn cyrraedd i gydymdeimlo, hi roddai'r tegell ar y tân, hi fyddai'n eu harwain i'r parlwr, ac yn arwain Nest yno atynt. Pan fyddai Nest wedi cael digon ar gwestiynau pobol, y ddynes hon fyddai'n dod at ddrws y stafell ac yn ymyrryd fel pe bai am eu hatgoffa ei bod yn bryd iddyn nhw fynd. Hi fyddai'n estyn eu cotiau iddyn nhw wrth y drws, ac yn tacluso ar ôl iddyn nhw adael. Gyda'r nos, hi fyddai'n hel y teulu cyfan i'r gegin ac yn coginio swper i bawb cyn eu hel i'w gwlâu. Doedd Mari ddim yn siŵr sut y bydden nhw wedi llwyddo i ddod drwy'r wythnos rhwng marwolaeth ei mam a'r cynhebrwng heb ei help hi. Teimlai ychydig yn llai ar goll gyda hi yno.

Un diwrnod gofynnodd Mari i Nest pwy oedd y ddynes.

'Pa ddynes?' atebodd Nest.

'Yr un â'r gwallt du a'r llygaid glas sydd yma trwy'r dydd.'

'Paid â bod yn wirion,' meddai Nest. 'Fy mam i – a dy nain dithau – ydi honna, ond mae hi 'di marw ers blynyddoedd, ymhell cyn i chdi gael dy eni. Drysu w't ti, Mari fach.'

Doedd Mari ddim yn teimlo ei bod hi'n adeg addas i ddadlau â Nest, felly wnaeth hi ddim sôn am ei nain wedyn. Ond sylwai arni bob dydd, a diolch iddi am ddod 'nôl i'w helpu. Gobeithiai'n arw ei bod am aros i fod yn gefn i'r teulu am sbel eto.

Yn ystod y cyfnod hwn, gorweddai corff Glenda yn y garafán. Roedd Taid wedi gwneud arch o un o ganghennau mawr y dderwen, ac wedi'i llenwi â gwely o ddail ffres. Roedd oglau'r pren gwyrdd a'r dail yn llenwi'r garafán, ac yn amgylchynu corff Glenda â phersawr daearol, cryf.

Chafodd Mari ddim mynd ati, ond ar fore'r cynhebrwng cynigiodd Nest a Taid iddi fynd i'r garafán i ffarwelio â'i mam am y tro olaf. Bu'n fore rhyfedd. Roedd y llif di-ben-draw o bobol a ymwelai â'r tŷ wedi stopio a bellach teimlai pobman yn wag ac anghysurus. Roedd Mari wedi ceisio chwilio am y ddynes â'r fynsen ddu, ei nain, ond doedd dim golwg ohoni hithau yn unlle chwaith, a gwnâi hynny i Mari deimlo'n anesmwyth. Ciliodd i lofft Osian ac eistedd ar y gwely gan bendroni beth i'w wneud. Roedd hi'n falch pan ddaeth Taid ati a dweud y câi fynd i'r garafán i weld ei mam.

Roedd hi'n braf cael gadael y tŷ, gan fod y diffyg awyr iach a'r paneidiau te diddiwedd wedi rhoi cur pen iddi. Bu'n bwrw dros nos, ond erbyn y bore roedd yr awyr yn las a'r gwlybaniaeth ar lechi llwybyr yr ardd yn sgleinio yn yr haul. Sylwodd Mari fod y dderwen yn edrych yn gam gan ei bod wedi colli un o'i changhennau. Tynnodd anadl ddofn cyn dilyn Nest a'i thaid i fyny'r ardd at y garafán.

'Dos i mewn, Mari,' meddai Nest wrthi.

Agorodd Taid y drws, ac er i Nest fynd i mewn gyda hi, penderfynu aros y tu allan wnaeth Taid.

'Fysat ti'n hoffi rhoi rhywbeth i dy fam? Anrheg fach i fynd hefo hi?' gofynnodd Nest yn garedig.

Daeth panig dros Mari. Doedd hi ddim wedi meddwl am hyn – yn wir doedd hi ddim wedi meddwl am lawer o ddim ers marwolaeth ei mam. Teimlai y byddai'n hoffi rhoi rhywbeth iddi, ond be? Roedd yn rhaid iddo fod yn rhywbeth arbennig, yn rhywbeth y gallai ei mam ei gadw am byth. Ond be? Doedd dim digon o amser i feddwl am rywbeth arbennig, heb sôn am gael gafael arno mewn pryd.

Teimlai Mari'n annifyr, gan feddwl efallai ei bod yn siomi ei mam. Pam y bu'n rhaid iddi eu gadael mor sydyn? Doedd hi ddim wedi cael cyfle i feddwl beth i'w roi iddi. Synhwyrodd Nest ei bod yn teimlo'n anesmwyth.

'Mae'n iawn 'sti, Mari,' sibrydodd. 'Sdim rhaid iti roi dim byd iddi. Mi fydd dy fam yn gwybod dy fod ti'n gyrru dy gariad ati.'

Ond wnaeth geiriau Nest ddim lleddfu poen meddwl Mari. Doedd hi ddim wedi paratoi ar gyfer y foment fawr hon.

Aeth i sefyll wrth ochr yr arch. Roedd Taid wedi gosod dail ffres o amgylch y corff ac roedden nhw'n dal i fod ychydig yn llaith. Yng ngwres yr haul, a dreiddiai i mewn trwy'r ffenest, codai ychydig o stêm oddi arnynt. 'Enaid Mam yn codi,' meddyliodd Mari. Tynnodd anadl ddofn cyn edrych i mewn i'r arch. Edrychai ei mam yn iau yn ei marwolaeth. Roedd hi'n gwenu, hyd yn oed – rhywbeth na chafodd lawer o gyfle i'w wneud yn ystod ei bywyd. Gwenodd Mari'n ôl arni. Trwy ei gwên, o'r diwedd, daeth dagrau – un deigryn yn dilyn y llall, yn rhedeg i lawr ei hwyneb ac i mewn i arch ei mam gan ddiferu ar y dail. Dalient i lifo nes bod Mari'n wag o ddagrau. Yn ara bach, cynhesodd yr haul ei dagrau ar y dail gwlyb, a chodi'n stêm uwchben corff Glenda. Disgleiriai'r tarth o'i hamgylch yn y golau.

'Mae dy ddagra di'n ei chario hi, Mari. Yli...'

Trodd Mari i wynebu Nest. Edrychodd y ddwy ar ei gilydd am eiliad, ac agorodd Nest ei breichiau. Rhedodd Mari ati a disgynnodd y ddwy i mewn i'r gadair felen wrth y stof gan gofleidio'i gilydd. Arhoson nhw felly wrth i Glenda, yn ddistaw bach, eu gadael.

Ymhen tipyn, eisteddodd Mari i fyny ar ei hunion a theimlo'n hollol effro. Roedd fel petai mwy o aer nag arfer yn mynd i mewn ac allan o'i hysgyfaint, gan roi'r gallu iddi synhwyro'n well nag arfer. Cododd ar ei thraed gan adael Nest, a'i llygaid wedi cau, yn y gadair. Aeth at ddrws y garafán. Safai Taid yno, ac roedd rhywun wrth ei ochr yn gafael yn ei law. Ei mam? Arhosodd Mari yn ei hunfan a'u gwylio.

Cychwynnodd Taid a Glenda ar hyd llwybyr yr ardd, a

mynd trwy'r giât oedd yn arwain i'r mynydd. Dechreusant gerdded law yn llaw i fyny'r llethr serth. Penderfynodd Mari fynd ar eu holau. Er ei bod ychydig bellter y tu ôl iddyn nhw, roedd hi'n ddigon agos i glywed ei thaid yn dweud, 'Mae hyn yn f'atgoffa i o dy gerdded di i lawr yr eil, ar ddiwrnod dy briodas.' Doedd Mari ddim yn gallu gweld wyneb ei mam, ond synhwyrodd bod cwmwl yn pasio trwy enaid Glenda. 'Ond mi wnawn ni anghofio am hynny, rŵan,' ychwanegodd Taid.

Wrth i'r ddau ddringo'r llethr, canai ehedydd uwch eu pennau. Cymysgai arogl y dderwen ag arogl y mynydd, a thywynnai'r haul ar eu cefnau. Roedd Taid a Mari yn fyr eu hanadl wrth iddynt agosáu at gopa'r mynydd, er nad oedd Glenda fel petai'n cael trafferth dringo'r llethr serth. Safodd Mari yn stond. Yno, yn sefyll ar y copa, roedd ei nain – y ddynes â'r fynsen ddu a'r llygaid glas – yn gwenu'n glên wrth i Taid a Glenda gerdded tuag ati. Clustfeiniodd Mari a'i chlywed yn dweud, 'Mae'n bryd imi fynd â hi rŵan, Wiliam'.

Gafaelodd y ddwy yn nwylo'i gilydd, troi, a cherdded i ffwrdd yn araf ar hyd y grib oedd yn ymestyn o'r copa. Gwyliodd Taid nhw'n mynd nes i'r ddwy ddiflannu o'r golwg cyn troi am adref. Cuddiodd Mari y tu ôl i graig a'i wylio'n mynd heibio. Roedd deigryn wedi dianc o'i lygad. Synhwyrodd Mari am y tro cyntaf yn ei bywyd nad oedd ei thaid mor galed ag yr hoffai iddynt feddwl. Gan gadw yn y cysgodion, dilynodd Mari ei thaid yn ôl i'r tŷ, gan wneud yn siŵr nad oedd yn ymwybodol ei bod hi yno nac wedi sylwi ar y deigryn.

'Mam, Mam, mae swyddogion yr Eglwys yma!'

Rhedodd Osian o'r tŷ i'r ardd. Ei gyfrifoldeb o oedd aros yn y parlwr a dweud pan fyddai swyddogion yr Eglwys yn dod i nôl corff Glenda i'w gladdu. Roedden nhw'n mynnu claddu pawb yn yr ardal. Roedd un teulu wedi cuddio'r ffaith bod un aelod wedi marw, ac wedi ceisio claddu'r corff mewn angladd gyfrinachol yn y coed. Ond roedd yr Eglwys wedi cael achlust o hyn, a'r wythnos ganlynol roedd y teulu cyfan ar *Saints and Sinners*. Cipiwyd pob un ohonyn nhw gan y *Bush Enterprises Transnational Energy Corp.*, a doedd neb wedi'u gweld wedyn. Byth ers hynny roedd pawb, gan gynnwys teuluoedd y gwrthwynebwyr, wedi cydymffurfio â dymuniadau'r Eglwys.

Erbyn i Nest godi ar ei thraed, roedd swyddogion yr Eglwys wedi cyrraedd y garafán. Aeth dau ddyn cryf yn gwisgo clogynnau du i mewn at yr arch a gosod y caead arni. Tynnodd un forthwyl a hoelion cryf o'i glogyn.

'Mari, Osian, ewch i'r tŷ rŵan,' meddai Nest yn gadarn. Cododd y ddau gan synhwyro mai yn y tŷ roedd eu lle.

Eisteddai'r ddau bob ochr i'r bwrdd yn y gegin yn syllu ar y wal a chlywed yr hoelion yn cael eu taro i mewn i gaead yr arch. Gwingai Mari gyda phob ergyd. Roedd ei mam wedi dianc, ond roedd Mari'n dal yno, yn fyw ac yn iach. Roedd ergydion y morthwyl ar yr hoelion fel petaen nhw'n selio'i thynged. Doedd dim modd iddi hi ddianc.

Roedd Osian a Mari eisoes wedi gwisgo dillad du. Bu'n rhaid i Mari fenthyg dillad pwrpasol gan ferch un o'r cymdogion, er bod y rheiny bellach wedi pylu ac wedi'u trwsio mewn sawl lle. Ymhen hir a hwyr daeth Nest a Taid at y drws cefn i'w nôl i ddilyn yr arch i'r eglwys, hwythau hefyd mewn du.

Wedi iddynt wisgo'u cotiau, taclusodd Nest eu coleri a'u gwalltiau. Roedd ei llygaid yn goch, ac yn llawn dagrau. Ar y ffordd o flaen y tŷ roedd trol yn cario'r arch, a cheffyl du yn ei thynnu, gyda dau ddyn mewn du yn eistedd ar y tu blaen. Safodd Nest, Taid, Osian a Mari y tu ôl i'r drol, a Nest yn gafael yn dynn yn llaw Mari. Cychwynnodd y fintai ei thaith araf i lawr y ffordd. Ymhen ychydig, synhwyrodd Mari fod ffigyrau mewn dillad duon yn ymuno â nhw o bob cyfeiriad, a bod y nifer y tu ôl i'r drol yn cynyddu wrth iddyn nhw wneud eu ffordd i gyfeiriad yr eglwys.

Erbyn i'r orymdaith gyrraedd y Stryd Fawr, roedd tyrfa ddistaw wedi ymgasglu. Bu'n rhaid aros am ychydig amser wrth y gyffordd. Gwrthgyferbynnai tawelwch a thristwch y dyrfa mewn du â phrysurdeb a rhialtwch y bobol ddŵad, nad oedd ganddynt fawr o amgyffred o'r galar o'u cwmpas.

Trodd y drol i'r Stryd Fawr a'r dyrfa'n ei dilyn. Ymwahanodd y bobol gan adael lle i'r orymdaith fynd heibio, ond wnaethon nhw ddim gostwng eu pennau, na distewi. Clywai Mari eu lleisiau'n arnofio i mewn ac allan o'i chlyw, yn ymuno ac yna'n gadael.

'A wanda w's däed?'

'... Vat veyr litl giyls myva, saw vey say.'

'... Pwer fing.'

'El of a crowd innit...'

'Yea you 'naw wat vear laek... awl relaited an awl vat...'

Gafaelai Nest yn dynnach yn llaw Mari wrth iddynt agosáu at yr eglwys. Daeth y ddau ddyn i lawr oddi ar y drol a gosod yr arch ar droli gerllaw. Gwthiwyd yr arch i mewn i'r eglwys ac wedi i bawb eistedd cafwyd gwasanaeth byr iawn dan arweiniad un o brentisiaid y Parchedig Michael Angelo Maximus. Prin fod ganddo ddigon o amynedd i gynnal y gwasanaeth o gwbl. Teimlai Mari yn falch ei bod wedi cael cyfle i ffarwelio â'i mam yn y garafán, gan nad oedd fawr o gyfle i wneud hynny fan hyn.

Teimlai Mari bod ei thaid, a eisteddai wrth ei hochr, yn aflonydd ac anghyfforddus. Roedd wedi ceisio osgoi dod i'r eglwys, ond roedd Nest wedi mynnu ei fod yno.

'Peidiwch â thynnu'n groes, Dad, plis, dim heddiw,' erfyniodd Nest a sŵn crio yn ei llais.

Mae'n rhaid bod Taid wedi sylwi ar y boen yn llais ei ferch, oherwydd ildiodd, a bodloni ar ddilyn y drefn.

Ar ddiwedd y gwasanaeth, cludwyd yr arch allan o'r eglwys. Safodd pawb a gostwng eu pennau wrth i Mari, ei thaid, Nest ac Osian ddilyn yr arch allan o'r adeilad ac i'r fynwent. Bedd Glenda oedd y bedd olaf yn y fynwent orlawn. Byddai'r cyrff nesa'n cael eu claddu yn yr hen chwarel, ar dir a roddwyd i'r Eglwys gan y *Bush Enterprises Transnational Energy Corp*. Safodd Mari ar lan y bedd ac edrych i mewn. Edrychai'n gynnes ac yn gysurus. Teimlai Mari ei fod yn lle da i gorff ei mam orffwys. Roedd fel petai ei mam yn mynd adre.

Erbyn i weddill y dyrfa ymgasglu o amgylch y bedd, roedd y ddau ŵr mewn clogynnau du wedi gollwng yr arch i mewn i'r ddaear. Ar lan y bedd llefarodd y Prentis rai geiriau'n ddifywyd a thaflu dyrnaid o bridd ar yr arch cyn i'r ddau mewn du rofio'r pridd i mewn i'r bedd o'r twmpath gerllaw. Murmurodd y dorf eu hanghymeradwyaeth wrth sylwi ar y diffyg urddas a roddwyd i'r seremoni.

Cododd llais dewr o'u plith, 'Arnt iw going tw sei symthing more? Ddy wman siwrli desêrfs môr ddan ddis?'

'*Aw, shut up,*' meddai'r Prentis. '*You backward people don't deserve any more than this. You and your romantic ideals, with your bloody archaic ceremonial ways and your funny little language that no-one understands. Can't you see the world's moved on and left you behind? The woman's dead meat, for Christ's sake. No good to anyone. Get over it.*'

Ebychodd y dorf mewn syndod. Edrychodd Mari'n bryderus ar Nest a safai wrth ei hochr. Roedd yr olwg ar ei hwyneb yn awgrymu yr hoffai grogi'r Prentis, ond ei bod yn gwneud popeth a fedrai i'w hatal ei hun. Crynai o dan y straen.

'*Yeah, you don't like me stating that fact, do you? No. But none of you has got the guts to stand up to me, no. 'Cause that's the way it is these days. You lost your battle a long time ago. You wouldn't have won it in any case. You got crushed under the wheel of progress, and progress didn't even notice.*'

Cynhyrfwyd y dorf gyfan a dechreuodd pawb gwyno dan eu gwynt.

'*Cowards,*' meddai wedyn gan droi ei gefn arnynt. '*Mind you, I don't blame you, 'cause you know what will come your way if you do protest. Yes, one almighty sin binning, oh yes,*' ychwanegodd, bron o dan ei wynt.

Clywodd Mari rywun yn pesychu a chlirio'i wddf i siarad. Trodd i weld Taid yn sefyll ar lan y bedd, yn wynebu cefn y Prentis.

'O Dad, na,' meddai Nest mewn anobaith.

Trodd y Prentis i weld pwy oedd yn meiddio'i herio. Syllai Taid yn syth o'i flaen. Arhosodd am eiliad cyn tynnu anadl hir. 'Hiraeth,' cyhoeddodd, mewn llais clir a chadarn. Cychwynnodd yn Saesneg.

'I am wandering the hills
Of my belonging.
Nid oes modd caru mwy.
I am longing for the hills
Of my desire.
Nid oes ateb ganddynt hwy.

I am waiting for your loving.
Caru craig
A chynefin pell.
I am aching
Singing
Screaming.
Ond distaw yw fy nghell.
Ysu am y tir
A'r oll sydd arni;
Ysu fel un sy'n caru.
Nid etyb.
Calon lân yn llawn daioni
Wedi pydru
Fel dy galon dithau.'

Edrychai'r Prentis yn ddirmygus ar yr hen ddyn o'i flaen. Aeth Taid yn ei flaen...

'Cysgu ar y tir
A rhwng y meini
Oedd y cyfan ges i
A'm calon goch yn llawn dagrau.
Eisoes
Rwyf wedi sylweddoli
Na allem fod yn un
A gwrthod angau.'

Dechreuodd y Prentis wingo'n anesmwyth wrth weld yr olwg ffyrnig ar wyneb Taid a gwrando ar y geiriau nad oedd yn eu deall. Aeth Taid yn ei flaen.

'Dewisaf innau
Fywyd a chael fy ngharu,
I deimlo dŵr y mynydd yn fy nagrau,
I fod yn fodlon a chael fy modloni,
I beidio deisyf y serch na all fy mharchu.'

Erbyn hyn roedd wyneb y Prentis yn goch.

'Dewisaf innau felly beidio â hiraethu
Am dir na chraig na all fy ngharu.
Ond i fyw a bod
Ar gyfyl y meini.
I ddysgu cuddio a chysgodi
Pan gwyd y lleuad llawn,
A 'nghorff a 'nghalon goch
Yn dechrau crynu.'

Bu distawrwydd llethol wedi i Taid orffen, a synhwyrai Mari fod y dorf yn sefyll ychydig yn dalach. Am eiliad roedd y Prentis wedi rhewi yn ei unfan. Taflodd olwg sarhaus tuag at Taid.

'*You'll pay for this,*' meddai gan droi a cherdded i ffwrdd, a'r ddau mewn clogynnau du yn cerdded o'i flaen.

Edrychodd Mari ar ei thaid mewn edmygedd a throdd yntau ati a wincio'n slei arni. Gwyddai Mari yr eiliad honno nad oedd wedi digio wrthi, a bod ei chalon goch hithau mewn lle dwfn a thywyll, yn saff.

'Ta ta, Mam,' sibrydodd wrth y pentwr pridd o'i blaen.

Gafaelodd Nest yn llaw Mari a throi i gychwyn am adra.

'O, Dad. Be ddaw ohonoch chi rŵan?' meddai wrth gerdded i ffwrdd.

Pennod 9

Tic toc, sŵn y cloc

Gorweddai Mari yn y gwely lle bu farw ei mam. Doedd hi ddim wedi gallu cysgu, a theimlai'r cynfasau'n oer a llaith. Roedd y ffenest yn agored a niwl y nos wedi treiddio i mewn i'r dillad gwely. Teimlai Mari ei hun yn oeri, ac wrth oeri teimlai ei bod yn troi'n wydr. Gwydr glas tryloyw.

Ei thrwyn oedd y lle cyntaf i droi'n wydr, wedyn ei gên, bodiau'i thraed, a'i bysedd. Ei chroen oedd nesaf, wedyn y capilarïau bach a redai o'i chroen i mewn i'w chorff, ac yna'r gwythiennau a'r rhydwelïau o'r capilarïau. Teimlai ei stumog, ei hiau, ei harennau, ei hysgyfaint a'i hymennydd yn troi'n wydr. Sylwodd nad oedd ei chalon ganddi i droi'n wydr. Gorweddai Mari yno, yn un clamp o wydr glas tryloyw, bregus, a gofod lle dylai ei chalon fod.

Clywodd gi'n cyfarth o iard un o'r tai yn y rhes. Treiddiodd sŵn y cyfarth ar hyd y rhes, ac i mewn trwy ffenest y llofft. Saethodd trwy'r gwydr o gorff i mewn i'r gofod lle nad oedd calon Mari bellach. Teimlai Mari'r sŵn yn atseinio y tu mewn iddi, ac ysgydwodd y sŵn ei chorff gwydraidd. A hithau'n teimlo fel pe bai'n methu cynnal y sŵn eiliad yn rhagor, ffrwydrodd ei chorff yn deilchion mân. Saethodd y darnau o wydr i bob cyfeiriad nes eu bod wedi'u gwasgaru ar hyd y gwely a'r llawr. Gorweddai'r darnau bach pigog yn llonydd yn y tywyllwch.

Yna, ymddangosodd y lleuad o'r tu ôl i gwmwl. Disgleiriai llafn o olau i mewn i'r llofft gan oleuo'r darnau mân, fel pe bai'r lleuad yn ei harchwilio'n fanwl, pob modfedd ohoni. Yna diflannodd y lleuad y tu ôl i gwmwl unwaith eto, ac roedd Mari'n ôl yn gorwedd yn y gwely. Trodd at y wal mewn ymgais i gysgu. Caeodd ei chlustiau i sŵn y ci a ddaliai i gyfarth yn y tywyllwch, a cheisiodd anwybyddu tamprwydd y dillad gwely. Ond ni ddaeth cwsg yn y llonyddwch anesmwyth. Gallai Mari deimlo nad oedd popeth fel y dylai fod. Gorweddodd yno'n effro ac yn wyliadwrus a'i llygaid yn llydan agored.

Yn syth o'i blaen syllai un o'r ffigurau Superman ar y papur wal arni. Dechreuodd hwnnw ysgwyd – yn ysgafn i ddechrau, gan gynyddu'n raddol, a Mari bellach yn sylweddoli bod hynny'n beth od. Clywodd rywbeth yn ratlo uwch ei phen – roedd y ffrâm a ddaliai'r llun o dad Osian yn ysgwyd hefyd. Neidiodd y llun o'r naill ochr i'r llall fel petai tad Osian wedi cael llond bol ar eistedd yn ei unfan mor hir, a'i fod bellach yn ceisio dianc o'i ffrâm. Clywodd sŵn slamio – roedd y drws yn agor a chau fel petai ysbryd tad Osian wedi llwyddo i ddianc o'i ffrâm ac yn cerdded o'r llofft.

Teimlai Mari'n sâl. Sylwodd fod y gwely wedi dechrau rholio o amgylch y llofft. Eisteddodd i fyny ac edrych o'i chwmpas. Roedd llawr y llofft yn symud i fyny ac i lawr fel môr tymhestlog, a'r gwely fel cwch yn ei ganol. Cododd Mari ar ei chwrcwd ar y gwely, yn barod i neidio oddi arno. Wrth iddo basio heibio'r ffenest gafaelodd yn dynn yn sil y ffenest er bod honno hefyd, erbyn hyn, yn ysgwyd. Ailymddangosodd y lleuad, gan oleuo'r ardd fel bod Mari'n gallu gweld yr olygfa'n glir o'i blaen – blodau'n ysgwyd ac yn canu'n bêr tuag at y nefoedd. Estyll y ffens yn neidio ac yn chwarae alaw i'w tôn, a'r llechi ar y llwybyr yn dawnsio'n ffyrnig fel creaduriaid o'u coeau.

Diflannodd yr olygfa'n sydyn. Rhaid bod y lleuad yn cuddio y tu ôl i gwmwl. Gwelodd Mari ei hadlewyrchiad ei hun yn y ffenest. Gwallt trwchus. Llygaid crwn. Bochau coch. Trwyn yn troi i fyny. Sgwyddau cadarn. Ffrwydrodd y ffenest, gan chwalu'i hadlewyrchiad, a'i thaflu i ben arall y stafell. Glaniodd yn un pentwr wrth y drws. Rhoddodd ei breichiau dros ei phen i'w hamddiffyn ei hun wrth i'r gwydr pigog ddisgyn yn gawod drosti. Cododd ei phen yn raddol a gweld bod ychydig o'i gwaed wedi cymysgu â'r darnau gwydr ar lawr.

Ymbalfalodd Mari drwy'r gwydr tuag at y drws, oedd yn dal i agor a chau ar ei ben ei hun. Arhosodd Mari iddo agor a chropian trwyddo at ben y grisiau ac allan ar y landing cyn disgyn, din dros ben, i lawr y grisiau. Glaniodd yn un pentwr blêr yn y gwaelod. Roedd Nest ac Osian yno hefyd, ar eu pennau-gliniau. Prin bod yna amser i'r tri edrych ar ei gilydd cyn i'r tŷ ddirgrynu eto. Dyma nhw'n cropian, un ar ôl y llall, drwy'r gegin, gyda drysau'r cypyrddau'n agor a chau, a'r platiau'n neidio'n wyllt oddi ar y silffoedd.

Roedd ffrâm y drws cefn ar osgo a gwthiodd Osian yn erbyn y drws i'w agor. Disgynnodd drwy'r bwlch a glanio ar lwybyr yr ardd, gyda Mari a Nest yn ei ddilyn. Cafwyd eiliad o ddistawrwydd wrth i bawb edrych o'u cwmpas am eiliad gan geisio dyfalu beth oedd wedi digwydd. Daeth bloedd anferth o rywle, a dyna lle roedd Taid yn rhedeg o'r garafán. Y tu ôl iddo, o gyfeiriad y dderwen, deuai'r sŵn mwyaf dychrynllyd.

Daeth y lleuad i'r golwg eto, a gwelai Mari'r cwbl fel petai'n digwydd yng ngolau dydd. Gwelodd holl frigau a dail y dderwen yn ysgwyd, yna'r canghennau, ac yn olaf y boncyff cyfan. Wedyn, yn boenus o araf, holltodd y dderwen yn ei hanner a'r canghennau'n disgyn, mewn un symudiad gosgeiddig, tuag at y ddaear. Trodd Taid yn ei ôl am eiliad a gweld hanner y dderwen yn chwalu drwy do'r garafán.

Yn sydyn, wrth edrych yn ôl ar ei chartref, gollyngodd Nest sgrech arswydus. Roedd y simdde ar dalcen y tŷ yn siglo'n ôl a blaen, a chrac yn ffurfio. Syllai'r tri, yn llonydd ac yn gegagored, ar y crac yn lledaenu, fesul troedfedd, wrth iddi ddisgyn tuag at y ddaear. Ni symudodd yr un ohonynt wrth i'r talcen rwygo oddi ar y tŷ a disgyn yn bentwr ar lawr. Yn fud gwelsant weddill y tŷ, heb y talcen i'w gynnal, yn chwalu o'u blaenau.

Diflannodd y lleuad y tu ôl i gwmwl ac felly'r olygfa o'u blaenau.

'Mam, be 'nawn ni rŵan?' gofynnodd Osian o'r tywyllwch.

'Aros yn llonydd, Osian,' atebodd Nest. 'Dydi hi ddim yn saff i ni symud ar hyn o bryd.'

Ymhen hir a hwyr clywsant leisiau pobl o'r gerddi ar hyd y rhes.

'Jac? Wyt ti'n iawn, Jac?'

'Lle rwyt ti, Miriam?'

'Dwi'n fan hyn. Wyt ti'n iawn, Jac?'

'Iesu Gwyn, Dafydd, wyt ti'n iawn?'

'Yndw. Ti?'

'Carys druan, dwi fan hyn, fedri di 'ngweld i?'

'Na, tyrd ata i.'

'Iesgob mae 'nghoes i'n brifo.'

'Ydach chi'n iawn yn fan'cw?' gwaeddodd Nest ar ei chymdogion.

'Ydan, dwi'n meddwl,' daeth llais yn ôl dros y ffens.

''Dan ni am fynd i'r stryd i weld sut mae'r criw ar yr ochr arall,' gwaeddodd hithau'n ôl.

'Syniad da, dwi'n sicr ddim am fynd yn ôl i'r tŷ 'na,' atebodd llais.

'Nest, gawn ni fynd trwy dy ardd di? Mae'n rhy beryg i fynd yn ôl drwy'r tŷ.'

'Wrth gwrs.' Cododd Nest ac ymbalfalu trwy'r tywyllwch at y ffens.

'Osian, Dad, dewch yma! Helpwch fi i neud lle iddyn nhw ddod trwodd yn fan hyn, lle mae'r ffens wedi torri!'

Rhuthrodd Osian a Taid at Nest, a chlywodd Mari sŵn pren yn torri wrth i Taid ac Osian wneud bwlch yn y ffens. Daeth synau straffaglu o'r ochr draw wrth i drigolion y rhes wneud eu ffordd atyn nhw.

Teneuodd y cymylau uwch eu pennau rhyw fymryn, a gwelodd Mari wynebau'r cymdogion wrth iddynt ymddangos fesul un yn yr ardd. Roedd golwg boenus ar bawb, a'r crychau ar eu hwynebau'n llawn llwch.

Roedd pobol eraill wedi dechrau hel o flaen y tŷ, a chyn bo hir roedd yr un dyrfa a fu'n dilyn yr arch y bore hwnnw'n sefyll ar ganol y ffordd. Ond erbyn hyn roedd golwg wahanol iawn ar bawb.

Roedd pawb yn eu dillad nos, ond roedd rhai wedi llwyddo i ddod â blancedi neu gotiau o'u tai ac yn eu gwisgo o amgylch eu 'sgwyddau. Herciai rhai, ac roedd eraill wedi cael anafiadau amlwg. Clywodd Mari rywun yn wylo.

Cafwyd anhrefn llwyr am ychydig, a phawb yn awyddus i wneud yn siŵr bod eu cymdogion yn dal yn fyw. Wedi hynny dechreuodd ambell un ddod ato'i hun a phenderfynu gwneud tân i gadw'n gynnes. Buan iawn y casglwyd pentwr o goed tân, ac adeiladwyd coelcerth fawr ar ganol y stryd.

Penderfynodd rhai eraill y buasai paned yn gwneud lles i bawb ac aethant hwythau ati i hel y pethau angenrheidiol o weddillion y tai. Cyn pen dim roedd pawb yn eistedd o amgylch y fflamau, yn closio at ei gilydd wrth rannu blancedi, ac yn yfed paneidiau cryf, melys.

Fesul tipyn, dechreuodd ambell un siarad, a chyn bo hir roedd y cylch yn llawn lleisiau, wrth i bawb adrodd eu profiadau. Trwy lwc roedd trigolion y stryd wedi llwyddo i ddianc o'u tai heb eu hanafu'n ddifrifol – ambell un wedi taro'i ben ac yn eistedd yn syfrdan heb ddweud gair, ac eraill, gan gynnwys Mari, ag olion briwiau go hegar ar eu cyrff. Roedd pawb yn ddiolchgar eu bod wedi llwyddo i ddianc o'r dinistr.

Eisteddai Mari o flaen Taid, Nest ac Osian. Edrychodd o'i hamgylch gan sylwi ar y fflamau'n goleuo'r gwahanol wynebau cyn iddynt ddiflannu i'r tywyllwch unwaith eto. Roedd yr wynebau'n ymddangos ac yn diflannu fel petaen nhw'n nodau mewn alaw a chwaraeid gan y tân. Hanner caeodd Mari'i llygaid er mwyn gallu ei synhwyro'n well.

Yn ara bach, teimlai'r dôn yn treiddio trwyddi. Ymhen ychydig, cynhesodd a dechrau teimlo'n fwy cadarn unwaith eto.

Erbyn hyn roedd pawb wedi distewi, ar ôl cael cyfle i ddweud eu hanes, a disgrifio sut y llwyddon nhw i ddianc yn gymharol ddianaf.

'Be wnawn ni rŵan?' holodd un o'r dynion.

'Aros yma tan y wawr am wn i,' atebodd rhywun. 'Does 'na ddim byd fedrwn ni neud tan hynny.'

'Ia, ia,' murmurodd pawb yn gytûn.

'Pwy 'sgen rhwbath i'n diddanu ni?' holodd y dyn cyntaf.

Edrychodd pawb ar ei gilydd cyn edrych ar y llawr. Yn sydyn, cododd Taid ar ei draed ac adrodd.

'Fesul un o'r gwyll y daethant,
Pererinion oes a fu,
Atom ninnau yma'n dyst i drachwant,
Yn cannu'r noson ddu.'

'Twt, twt, Mr Wilias, wnawn ni elwa dim o'ch paganiaeth chi heno 'ma,' meddai dyn canol oed a oedd rhywsut wedi llwyddo i wisgo crys, siaced a choler gron cyn gadael y tŷ. 'Mae heno'n noson i ddangos ein ffydd yn yr Arglwydd,' ychwanegodd gan dynnu Beibl bach o'i boced. 'Mari druan, rwyt ti wedi dioddef yn enbyd yr wythnos hon. Beth am i ti ddewis rhan imi ei ddarllen?'

Edrychodd Mari arno'n syn.

'Pa stori o'r Beibl fysat ti'n hoffi ei chlywed, Mari?' gofynnodd Nest o'r tu ôl iddi. 'Ateba'r Parchedig.'

Meddyliodd Mari. Roedd hi'n arfer mynd i'r Ysgol Sul yn Ysbyty Ifan ac yn gwybod rhai o straeon y Beibl.

'Mi hoffwn i glywed stori Arch Noa,' meddai mewn llais bach.

'Arch Noa fydd hi, felly,' meddai'r Parchedig (neu gynbarchedig erbyn hyn) wrth agor y Beibl.

'... A bendithiodd Duw Noa a'i feibion gan ddweud wrthynt: 'Byddwch ffrwythlon, a lluosogwch, i lenwi'r holl ddaear. Bydd yr holl anifeiliaid yn eich ofni, a holl adar y nefoedd a holl bysgod y môr, a phopeth sydd yn symud ar wyneb y ddaear. Rhoddaf bopeth byw sydd yn symud yn fwyd ichwi, fel y rhoddais unwaith y llysieuyn gwyrdd i chwi fwyta.' Ac aeth Duw ymlaen gan ddweud: 'Dyma fy ngair i chwi, ac i'ch plant ar eich ôl chwi, ac i bopeth byw sydd gyda chwi. Ni ddinistriaf eto bob cnawd, ac ni ddaw dilyw i ddifetha'r ddaear byth eto. Ac y mae fy ngair yn gyfamod rhyngof fi a chwi, a phob creadur sydd gyda chwi am byth bythoedd.'

'Iesgob Dafydd, â phob parch, Parchedig,' meddai Taid. 'Dydi Duw ddim i'w weld wedi cadw'i gyfamod, nac ydi?'

Bu distawrwydd annifyr wrth i bawb edrych at y llawr. Rhoddodd y Parchedig y Beibl yn ôl yn ei boced. Ceisiodd Mari wenu arno, i wneud iddo deimlo ychydig yn well, ond roedd yntau hefyd yn edrych ar y llawr erbyn hynny.

Edrychodd Mari o'i chwmpas wrth geisio osgoi'r teimlad annifyr a oedd wedi gorchfygu'r criw o amgylch y tân. Neidiodd yn sydyn. Yno'n syllu arni roedd yr hydd a fu'n ei chludo hi yn ei breuddwyd. Lled-agorodd llygaid Mari wrth iddi rythu'n ôl arno. Yn eistedd ar gefn yr hydd roedd cigfran, a dynes oedd yn gwisgo sgert laes. O amgylch ei thraed roedd sgwarnogod, llu ohonyn nhw, a blaidd yn eu canol. Roedd pob un o'r creaduriaid yn llonydd ac yn syllu arni.

Edrychodd Mari arnynt hwythau gan synhwyro bod rhagor o ffurfiau'n ymddangos wrth y tân ac yn rhuthu arni. Cyn pen dim roedd byddin o ffurfiau'n ymestyn o'r tân i'r tywyllwch, pob un yn llonydd ac yn syllu ar Mari. Roedd fel petai'r ffurfiau'n galw arni i wneud rhywbeth. Syllodd hithau'n ôl arnynt.

'Be dach chi isho imi neud?' holodd ar draws y tân.

Ni chafodd ymateb. Daliai'r llygaid i syllu arni.

'O'r argian!' gwaeddodd yn ei rhwystredigaeth. Tynnodd anadl ddofn, cau ei llygaid, a cheisio penderfynu beth yn union roedd hi i fod i'w wneud.

Pennod 10

Goleuai'r haul y bore cynnar

Agorodd Mari'i llygaid a'u rhwbio. Roedd ambell un arall o'r criw a eisteddai o gwmpas y tân yn gwneud yr un peth. Roedd rhai eraill wedi codi ar eu traed ac yn ymestyn eu cymalau i geisio cael gwared â phoenau'r noson cynt. Teimlai cyhyrau Mari'n oer ac yn stiff wrth iddi godi ar ei thraed. Roedd y ffurfiau a ddaeth at y tân yn y tywyllwch bellach wedi diflannu.

Roedd Nest ac Osian yn dal i gysgu, ond doedd dim golwg o Taid yn unlle. Edrychodd Mari o'i chwmpas. Anodd oedd nabod y stryd o'i blaen. Roedd crac enfawr ar draws y lôn, a pheipiau nwy a dŵr – nad oedd wedi cario dŵr na nwy ers blynyddoedd – yn ymestyn ohono. Cafodd Mari chwiff o ogla carthion – roedd y rheiny hefyd yn codi o'r crac yn y ffordd ac yn dechrau ymledu dros y stryd. Yr ochr arall i'r crac roedd polyn trydan ar ei ochr ar lawr, a'r holl wifrau – nad oedd wedi cario trydan ers blynyddoedd – mewn pentwr blêr drosto. Doedd dim ar ôl o'r rhan fwyaf o'r tai ond tyrrau mawr o rwbel. Roedd ambell dŷ yn dal i ryw lun o sefyll, ond â bylchau yn y waliau a dodrefn pob stafell i'w weld yn amlwg. Eisteddai dynes o flaen un o'r tai, yn beichio crio. Adnabu Mari hi fel ffrind i Nest oedd wedi galw i gydymdeimlo ar ôl marwolaeth ei mam. 'Hi sy'n galaru rŵan,' meddyliodd Mari wrth fynd ati.

'Ydach chi'n iawn?' gofynnodd.

Edrychodd y ddynes arni a'i llygaid yn goch. 'Dwi 'di colli popeth!' meddai. 'Rydan ni wedi colli popeth!'

Cododd Nest ar ei thraed ac edrych o'i hamgylch. Daeth ton o dristwch drosti wrth weld yr holl ddinistr a chofio digwyddiadau'r noson cynt. Gwelodd ei ffrind yn crio ac aeth ati. Gafaelodd ynddi a bu'r ddwy yn crio ar ysgwyddau ei gilydd. Gwyliodd Mari hwy. Roedd y ddwy wedi gwneud popeth o fewn eu gallu i gynnal eu teuluoedd, eu cartrefi, a'u cymdeithas. Yn wyneb pob dioddefaint roedden nhw wedi aros yn gryf; yn wyneb pob gorthrwm roedden nhw wedi aros yn dawel, a diodde'r cyfan, er mwyn cynnal eu ffordd o fyw. A rŵan, mewn un noson, roedden nhw wedi colli'r cyfan.

Trodd Mari oddi wrthynt ac edrych i lawr y stryd. Ymhob safle lle'r oedd cartref i fod, safai teulu. Roedd rhai'n wylo, yn ymwybodol o'u colled, ac eraill yn sefyll yn fud, yn dal i geisio dygymod â'r hyn oedd wedi digwydd. Pe na bai calon Mari wedi'i chladdu mewn lle dwfn a thywyll, byddai hithau'n galaru gyda hwy. Eto i gyd, gwnaeth y dinistr o'i blaen iddi deimlo ar goll. Dros nos roedd ei bywyd newydd wedi'i chwalu, wedi'i droi ben i waered pan gollodd ei mam – ac yn awr roedd yn rhaid wynebu'r dinistr hwn. Eisteddodd, gan ei bod yn teimlo'n rhy wan i sefyll.

Erbyn hyn roedd Taid wedi dychwelyd o'r garafán yn cario'i *wind-up radio*. Casglodd ychydig o ddynion o'i amgylch i wrando ar y bwletin newyddion.

'The town of Blaenau Ffestiniog has been more or less obliterated by unprecedented seismic activity. The earthquake, which hit the town at midnight last night, has destroyed nearly all of the town's buildings as well as causing immense human suffering. Like all towns of altitude, the conurbation was already under immense pressure from the in-migration of refugees fleeing their homes in low lying coastal areas. The numbers of dead and injured are not yet known but they are believed to be significant.'

'Bydd raid imi fynd i gynnig helpu yn yr ysbyty,' meddai Nest, gan iddi weithio fel nyrs cyn geni Osian. Wedi i Osian dyfu, roedd y llywodraeth wedi cau'r ysbytai lleol ac felly nid oedd swydd iddi. Bellach, câi ysbyty Blaenau ei gynnal gan roddion pobol leol, a byddai'r doctor – a oedd i fod codi tâl am ei wasanaeth – yn aml yn ymweld â chleifion am ddim, gan na allai'r bobol fforddio talu. Weithiau, byddai Nest yn ei helpu'n wirfoddol – pan fyddai epidemig o falaria yn yr ardal, neu'r colera'n bla yn y gwersyll ffoaduriaid, neu pan fyddai'r hafau'n rhy boeth a'r hen bobol yn disgyn fel pryfaid yn y gwres.

'Dad, newch chi greu rhyw fath o loches inni at heno? gofynnodd Nest. 'Mari ac Osian, ewch chi i'r rhandir i nôl bwyd. Dwi'n siŵr bydd 'na datws newydd neu rywbeth yn barod i'w tynnu.'

Wedi'r cyfnod byr o alaru, roedd Nest eisoes wedi cychwyn ar y gwaith o ailadeiladu ei chymuned. Cerddodd i lawr y stryd yn ei phyjamas, gan geisio rhoi rhywfaint o drefn ar ei gwallt llychlyd.

Daeth Taid at Mari a'i helpu i godi ar ei thraed. Dringodd y ddau ohonynt ac Osian dros rwbel y tŷ i'r ardd gefn. Stryffaglodd Taid trwy'r hollt yn y garafán i chwilio am ddillad iddynt. Eisteddodd Mari ar un hanner o foncyff y dderwen tra safai Osian o gwmpas yn cicio ambell ddarn o bren yn ddibwrpas. Ailymddangosodd Taid.

'Mari, gwisga di'r rhain,' meddai, gan estyn pâr o drowsus brethyn a chrys iddi. 'Bydd raid inni glymu'r coesau â chortyn, ond mi fyddi di'n edrach yn grêt wedyn. Osian, cymera di'r rhain.'

Cydiodd Osian mewn pâr arall o drowsus brethyn a chrys. 'Maen nhw'n braidd yn rhy fach i chdi, ond mi wnân nhw'r tro,' meddai.

Roedd Taid wedi newid yn barod, ac erbyn i Mari ac Osian wisgo roedd y tri yn edrych fel petaen nhw wedi ffurfio byddin fach. Byddin Taid.

'Arhoswch chi'ch dau yn fan'na,' meddai, gan estyn pentwr o goed tân. Cyn bo hir, roedd tân braf yn llosgi yn yr ardd. Yna aeth Taid yn ôl i mewn i'r garafán, a dod allan â sosban, ceirch a chrochan o lefrith, a oedd rhywsut wedi goroesi dinistr y noson cynt.

'Pwy sy isho uwd?' gofynnodd yn sionc.

Allai Mari ddim penderfynu a oedd Taid yn ceisio bod yn hwyliog er mwyn codi calonnau pawb, neu a oedd o'n wirioneddol mwynhau'r her o fod yn ddigartref. Ond roedd hi'n falch ei fod o mor frwdfrydig, o leiaf.

Cyn pen dim roedd y tri'n eistedd yn llarpio'r uwd yn llwglyd. Ar ôl iddyn nhw orffen, neidiodd Taid ar ei draed a diflannu i mewn i'r garafán eto.

'Tyrd i roi help llaw, Osian,' meddai o'r tu mewn. Ymhen dim, ailymddangosodd y ddau'n cario peiriant gwnïo haearn trwm. 'Da chdi'r hogyn,' meddai Taid. 'Rown ni fo fan hyn.' Aeth i chwilota o dan y garafán, a dod o hyd i bentwr o darpolinau. 'Reit,' meddai wrth eu hagor. 'Mi wnaiff y rhain loches i ni.'

Eisteddodd wrth y peiriant, gosod y tarpolin arno, a dechrau gwnïo. Arhosodd Mari yn ei hunfan a'i wylio, gan feddwl am ddigwyddiadau'r noson cynt. Oedd hi wedi breuddwydio'r ffurfiau wrth y tân? Neu tybed a oedden nhw yno go iawn?

'Taid? Wnaethoch *chi* weld yr hydd, y gigfran, y blaidd a'r ddynes a'r sgwarnogod wrth y tân neithiwr?'

Stopiodd Taid y peiriant ac edrych arni. 'Do,' meddai.

'Roedden nhw'n edrych arna i fel petaen nhw isho i fi neud rhywbeth,' meddai Mari wedyn. 'Ond does gen i ddim syniad *be*.'

Eisteddodd Taid yn ôl a chymryd ei wynt. 'Dwi 'di bod yn meddwl am fy mhrofiad i ar ben y mynydd y noson o'r blaen,' meddai. 'Dwi 'di dod i'r casgliad bod y Fam Ddaear wedi torri o dan straen perthynas dyn â hi. Dwi'n credu mai'r daeargrynfeydd 'ma ydi'i ffordd hi o ddeud ei bod hi wedi cael digon. Maen nhw wedi deffro'r hynafiaid, Mari, hynafiaid fu'n cysgu oherwydd i ni eu hanwybyddu nhw mor hir. Rŵan maen nhw wedi deffro i'n helpu ni i ffurfio dyfodol gwell. Gwranda ar yr hyn sy ganddyn nhw i ddeud wrthat ti, Mari – paid â'u hanwybyddu nhw. Mae'n siŵr y byddi di'n falch o'u help nhw'n nes ymlaen.'

'O na!' llefodd Osian o ben pella'r ardd.

'Be sy, Osh?' meddai Mari.

Cododd Osian ar ei draed, gan afael yn ofalus yn rhywbeth. Cerddodd yn araf drwy weddillion yr ardd, ei ddwylo wedi'u cwpanu o'i flaen.

'Maen nhw 'di marw,' meddai'n drist.

Aeth Mari a Taid ato. Yno, ymysg gweddillion nyth a fu gynt yn uchel ar ganghennau'r dderwen, roedd cyrff cywion adar bach. Edrychodd Mari ar Osian. Roedd deigryn yn disgyn i lawr ei foch.

'Iesgob Dafydd, mae'n fore trist,' meddai Taid gan ysgwyd ei ben.

Wedi iddyn nhw gladdu'r adar o dan weddillion y goeden, aeth Taid yn ôl at y peiriant gwnïo, a chofiodd Mari ei bod hi ac Osian i fod i fynd i nôl bwyd o'r rhandir. Synhwyrai y byddai'n teimlo ychydig yn well pe bai'n gwneud rhywbeth defnyddiol.

'Tyrd Osh, ewn ni nôl y tatws 'na, ia?'

Gafaelodd yn llaw Osian a'i arwain o'r ardd. Doedd Mari ddim wedi bod yn y rhandir o'r blaen ac felly, cyn hir, Osian oedd yn ei harwain hi. Aethant ar hyd y stryd, ac i'r Stryd Fawr. Roedd holl ffair a dwndwr y diwrnod cynt wedi diflannu. Doedd dim ar ôl ond ambell berchennog siop llychlyd yn chwilota'n ddryslyd am weddillion ei stoc yn y rwbel. Aethant heibio'r eglwys. Roedd honno'n dal i sefyll, ond roedd crac enfawr wedi ymddangos yn ei thalcen. Daliai'r cerrig beddi yn y fynwent i sefyll er eu bod braidd yn gam eu hosgo. Arafodd Mari ei cherddediad ac edrych i gyfeiriad bedd ei mam gan weld bod y blodau a osodwyd yno'r diwrnod cynt ar chwâl. Addawodd iddi'i hun y byddai'n dod yn ôl cyn bo hir i'w twtio.

Er bod olion y ddaeargryn yn amlwg yn y rhandir hefyd, roedd rhywfaint o lysiau wedi goroesi. Cerddodd y ddau'n ofalus trwy'r blerwch at randir y teulu. Roedd Taid yn tyfu tatws mewn hen finiau; roedd y rhain wedi disgyn ar eu hochrau a'r pridd a'r tatws wedi tollti ar hyd y llawr.

'Wel mae'n gneud ein job ni'n haws,' meddai Osian.

Plygodd y ddau a dechrau hel y tatws ar ddarn o darpolin.

'Rhowch eich dwylo tu ôl i'ch pennau a throwch rownd!'

Wrth glywed y llais o'r tu ôl iddynt, ufuddhaodd y ddau i'r gorchymyn. Yn eu hwynebu roedd llipryn main o ddyn, yn gwisgo siaced ledr ddu ac yn ochr ei geg roedd sigarét wedi'i rholio. Yn ei ddwylo, ac wedi'i anelu tuag atynt, roedd gwn hela. Roedd un llygad wedi'i hoelio ar hyd baril y gwn a'r llall ar gau.

'O! Ti sy 'na, Osian,' meddai'r dyn gan ollwng y gwn. 'Dwi'n dal *on duty* yli, hyd yn oed ar ôl y daeargryn,' meddai'r dyn wedyn. 'Wel, daliwch ati,' meddai gan gerdded i ffwrdd.

Esboniodd Osian i Mari fod perchnogion y rhandir yn cyflogi'r dyn i warchod eu llysiau rhag i bobl lwglyd eu dwyn. Ar ôl iddyn nhw godi digon o datws ac ambell lysieuyn arall, cychwynnodd y ddau am adre.

'Gawn ni fynd heibio'r parc?' gofynnodd Osian. 'Jest i weld ydi popeth yn iawn yno.'

'Wrth gwrs,' meddai Mari.

Ond roedd y parc hefyd mewn llanast, a ffrâm y swings wedi'u plygu yn eu hanner ar lawr. Roedd y rowndabowt wedi dod oddi ar ei echel ac yn gorwedd yn gam, sawl metr o'r fan lle'r arferai fod.

'O na!' meddai Mari gan edrych ar Osian.

Trodd wyneb Osian yn llwyd, a chrynai ei wefus

isa. Gollyngodd y darn o darpolin oedd yn dal y tatws, a rholiodd y rheiny ar lawr. Aeth at y cyfarpar roedd wedi'u gwarchod mor ofalus gan sefyll a syllu'n druenus arnynt.

Cododd Mari'r tatws fesul un, a'u gosod yn ôl yn y tarpolin. Clywodd lais yn galw ar Osian.

'Be ti'n neud, Osian Tew?'

Roedd criw o ferched yn eistedd ar fainc heb fod ymhell o'r fan lle'r oedd Osian yn sefyll. Fel pawb yn y Blaenau erbyn hyn, roedd y merched yn edrych yn flêr a'u gwalltiau'n llawn llwch. Mae'n rhaid eu bod nhw wedi bod allan pan drawodd y daeargryn, oherwydd roedden nhw'n dal i wisgo dillad a fu unwaith yn daclus – sgertiau byrion tyn, crysau cwta wedi'u clymu mewn bwa o dan eu bronnau, a sgidiau sodlau uchel wedi'u gwneud o ledr ffug. Roedd rhai o'r merched yn smygu, tra bod eraill yn swigio poteli cwrw. Yn ôl yr olwg arnyn nhw, roeddent wedi bod yn yfed trwy'r nos.

Giglodd un ohonynt. 'Osiaan,' meddai mewn llais cryglyd. 'Osiaan, tyrd yma.'

Doedd Mari ddim am weld digwyddiadau'r wythnos cynt yn cael eu hailadrodd, felly cerddodd at Osian a'i dywys o'r parc, gan daflu golwg ddirmygus at y genod.

'O Osiaan, paid â'n gadael ni,' meddai un o'r genod yn bwdlyd. 'Fasan ni'n gallu cael ffasiwn hwyl!'

Wrth fynd yn ôl tuag at y Stryd Fawr, roedd yn rhaid i Mari ac Osian gerdded heibio'r Llyfrgell. Roedd honno hefyd mewn cyflwr gwael.

'Aros am eiliad, Osh,' meddai Mari gan lygadu'r holl lyfrau ar y llawr, eu tudalennau'n chwifio yn y gwynt.

Doedd hi erioed wedi gweld cymaint o lyfrau o'r blaen, a chamodd yn betrus i mewn i'r adfeilion. O'i blaen roedd arwydd mawr yn cyhoeddi 'Sponsored by the Bush Enterprises Transational Energy Corp.' a hwnnw'n hongian yn gam uwchben sgrin deledu enfawr. Roedd y sgrin yn dal i fflachio delweddau o hysbysebion am gynnyrch y Bush Enterprises Transnational Energy Corp. – cynnyrch nad oedd ar neb ei angen, a phethau nad oedd pobol Blaenau yn gallu eu fforddio beth bynnag. Roedd y delweddau'n edrych yn arbennig o hurt yng nghanol yr holl ddinistr.

Camodd Mari yn ei blaen yn bwyllog gan gymryd cip ar y pentyrrau o lyfrau bob ochr iddi – hunangofiannau pobol enwog nad oedd ganddi unrhyw glem pwy oeddent; llyfrau ar sut i addurno tŷ, sut i goginio'r pwdin perffaith, a sut i wisgo mewn modd a wnâi i ferched edrych yn iau. Ac wedi hynny, pentyrrau o hen bapurau newydd â phrif benawdau fel *'No end to War on Terror'*, *'Terror Fight must go on'*, a *'Rise Up and Fight Terror'*. Doedd yr un o'r rhain yn ennyn ei diddordeb.

Pan ddaeth at y pentwr olaf o lyfrau, arhosodd yn ei hunfan gan fod sŵn crio'n dod o'r ochr arall iddo. Camodd yn araf bach at y sŵn a sbecian heibio'r pentwr. Yno roedd dynes glên yr olwg, yn gwisgo sgert frethyn, a chrys a fu unwaith yn wyn wedi'i blygu i mewn i dop y sgert. Gwisgai ei gwallt llychlyd mewn clip ar dop ei phen. Roedd hi'n eistedd ar gadair yng nghanol tomen o hen lyfrau a ddifethwyd yn y ddaeargryn. Yn ei llaw roedd clawr un ohonynt – *Wythnos yng Nghymru Fydd* gan Islwyn Ffowc Elis.

'Dach chi isho help?' gofynnodd Mari i'r ddynes, a edrychai'n bryderus arni.

'Yyy... wel na... trio rhoi trefn ar y llyfrau 'ma dwi,' meddai'r ddynes. 'Fi di'r llyfrgellydd.'

Fedrai Mari ddim meddwl am well swydd na bod yn llyfrgellydd. Edrychodd yn eiddigeddus ar y ddynes.

'Mi wnawn ni eich helpu chi,' meddai Mari. 'Osian tyrd yma!' gwaeddodd wedyn, gan osod y tatws yn y tarpolin yn ofalus ar lawr.

Daeth Osian draw at y ddwy. Gwenodd y ddynes trwy'i dagrau.

'Hogan Glenda wyt ti, yndê? Roeddwn i a Glenda'n ffrindiau penna pan oedden ni'n fach. Cês oedd Glenda. Ond mi gollon ni gysylltiad ar ôl iddi briodi dy dad. O'n i yn yr angladd ddoe. Roedd eich Taid yn ddewr iawn.'

Gwenodd Mari'n ôl arni. 'Be dach chi isho i ni neud?' gofynnodd yn glên.

'Wel, diolch am y cynnig,' meddai'r llyfrgellydd. 'Ond ym... dwi ddim yn siŵr... be ydi'r peth gorau i neud.'

'Be am symud y llyfrau i fan hyn?' awgrymodd Mari, gan agor y drws y tu ôl i'r llyfrgellydd. 'O leia fyddan nhw allan o'r gwynt a'r glaw yn fan hyn.'

'O na, paid â mynd i mewn fan'na,' meddai'r llyfrgellydd. 'Does neb yn cael...'

Ond doedd Mari ddim yn gwrando, a diflannodd hi ac Osian i mewn i'r stafell y tu ôl i'r drws.

Stopiodd Mari'n stond wrth weld y pentwr mwya o bapur a welsai erioed. Ymestynnai hyd do'r stafell, a bu'n rhaid iddi blygu'i phen yn ôl i'w weld i gyd. Roedd rhyw oglau rhyfedd yn y stafell hefyd, a hwnnw fel petai'n dod o hylif a dywalltwyd dros y papurau ar hyd y llawr. Gwelai Mari gynhwysydd ar ei ochr, a peth o'r hylif yn dal i ddiferu ohono. Ar ochr y cynhwysydd roedd y priflythrennau 'BETEC'.

Yr eiliad honno, trwy fwlch yn y wal, daeth chwa o wynt i mewn i'r stafell. Chwythodd y papur oedd ar ben y domen tuag ati. Hen bapur newydd oedd o, a darllenodd Mari'r prif bennawd wrth iddo chwythu heibio iddi. 'This is The Last Independent Newspaper You'll Ever See.' Daeth ias oer dros Mari a theimlai'n gynhyrfus. Doedd hi erioed wedi gafael mewn papur newydd o'r blaen. Darllenodd.

'This newspaper's offices and printing press are to be closed today. The Super-Corp – Bush Enterprises Transnational Energy Corporation – have been allowed to buy the newspaper by a seriously compromised government, who were forced into allowing the sale.

The Corporation has been trying to shut the paper down for several years – it is the last bastion of the free press and highly critical of its actions. The Government, initially supportive of maintaining at least one national newspaper, albeit a renegade one, finally gave in last night.

It is thought that Bush Enterprises threatened the struggling administration with long-term and nationwide power cuts if it did not concede to its demands.

A representative of the Corporation said: "This newspaper is a threat to the security of the nation. Our attempts to provide the people of Britain with all that they could wish for have been seriously compromised by these extremists who want to pour cold water on all that we have achieved. Today they have learnt that we will stop at nothing in pursuit of our ambitions. Progress, as we all know, favours the ambitious."

Previous and more subtle attempts to silence the paper, by buying up companies that advertised in it and then withdrawing adverts, failed due to the dedication of staff who continued to work for free when the paper had run out of funds.

This final, and technically illegal, edition – brought to you by these same staff who have been working through the night, and are likely to face serious punishment for their actions – is your last opportunity to read the truth about the Bush Enterprises empire.

For the sake of everyone of us, please store this truth in your memory, for it will never see the light of day again.'

Ebychodd Mari. Doedd hi ddim wedi deall popeth, ond deallodd ddigon i wybod bod y papur yn ei llaw yn rhywbeth arbennig iawn. Aeth ati i'w agor a dechrau darllen, ond yn sydyn clywodd leisiau y tu allan i ddrws y stafell.

'*Where are the papers?*' gofynnodd llais dyn diarth.

'O… ym… ddei wer ol destroid in the yrthcwêc,' atebodd llais y llyfrgellydd.

'*Don't lie to us, WHERE are they?*'

'Ymm…'

'*Tell us!*' meddai llais dyn arall.

Cafodd Mari'r argraff fod y llyfrgellydd yn sefyll rhwng y dynion a'r drws. Pesychodd yn uchel, fel petai'n rhybuddio Mari ac Osian am y dynion.

'*Stop stalling us, you bitch.*'

Clywodd Mari sŵn slap yr ergyd ar draws wyneb y llyfrgellydd.

'*They're in there, aren't they?*' meddai un o'r dynion wedyn. '*Get out of our way!*'

'Mae'n rhaid inni guddio, Osian!' sibrydodd Mari. "Dan ni ddim i fod yn fan hyn!'

Roedd y llyfrgellydd yn dal i geisio atal y dynion rhag dod i mewn i'r stafell. Edrychodd Mari'n wyllt o'i chwmpas i geisio gweld lle addas i guddio.

'Osian! Tyrd draw fan hyn,' sibrydodd, gan agor drws hen gwpwrdd gwag. Rhedodd Osian ati, a gwthio'i hun i'r guddfan eiliadau cyn i'r dynion fyrstio i mewn i'r stafell. Clywodd Mari'r llyfrgellydd yn griddfan mewn poen y tu allan i'r drws.

'*I knew she was lying, sir,*' meddai un o'r dynion. '*I knew they were still in here…*'.

'*Well, get on with burning them then,*' meddai'r llall.

Edrychodd Mari trwy'r crac rhwng drysau'r cwpwrdd. Yn sefyll yno roedd y dyn mewn gwisg caci a bŵts du at ei bengliniau – yr union ddyn a ddaeth ar eu holau ar ben tomen y llwybyr cam. Mae'n rhaid bod y garreg a ddisgynnodd arno y diwrnod hwnnw wedi'i anafu cryn dipyn, gan fod ei ben mewn rhwymyn a'i fraich mewn sling. Y fo roddodd y gorchymyn i'r llall i losgi'r holl bapurau. Gwisgai hwnnw ddillad duon â'r geiriau '*Bush Enterprises Transnational Energy Corp.*' wedi'u sgwennu arnynt. Plygodd i afael yn y cynhwysydd oedd ar lawr, a tholli'r hyn oedd yn weddill o'r hylif ynddo dros y papurau. Taniodd fatsien. '*Well here goes history*,' meddai'n sionc gan daflu'r fatsien ar y pentwr.

'*I don't know why you're being so cocky,*' meddai'r dyn mewn caci trwy'r fflamau oedd bellach yn llarpio tuag at y to. '*You know you're facing disciplinary action for not carrying this out last night.*'

'*Yes, but I did try, sir,*' meddai'r llall. '*But the earthquake started and I had to get out. I'd have been killed.*'

'*Save your excuses for the disciplinary panel. Because you failed to carry out your orders we're now facing a more complicated situation. No-one would ever have known about this little stash of hidden history. It would have gone up in smoke before anyone knew anything about it. But now, with the earthquake having destroyed the lock on the door... this pesky librarian has not only probably seen the evidence but has seen us destroy it too. Mind you, we can deal with her pretty quickly. We'll get her on Saints and Sinners this week. She won't be able to breathe a word to anyone then... hee hee... pity to lose her really... she's a good-looking bitch... ha ha.*'

Safodd y ddau ddyn a gwylio'r tân yn llyncu'r pentwr o bapurau. Yr eiliad honno symudodd Osian ei bwysau o un goes i'r llall, gan ei fod yn penlinio mewn gofod llawer rhy fach iddo. Wrth iddo wneud, ysgydwodd y cwpwrdd. Gwingodd Mari. Trodd y dyn mewn caci ar ei sodlau.

'*Did you hear that?*' meddai wrth y llall.

'*What?*' meddai hwnnw.

'*That noise. I heard a bang and a rattle.*'

'*I didn't hear a thing, sir,*' meddai'r un mewn du.

'*I definitely heard something.*'

Roedd y dyn mewn caci yn sefyll yn hollol lonydd, ei lygaid culion yn syllu'n syth yn eu blaenau, a'i ffroenau ar agor yn llydan. Roedd fel petai'n ceisio arogli beth oedd wedi gwneud y sŵn.

'I think you're imagining things, sir.'

'I don't care what you think. Search the room,' meddai.

Edrychodd Mari ac Osian ar ei gilydd mewn panig. Roedden nhw mewn trap. Yr unig obaith oedd aros yn hollol, hollol lonydd ac yn hollol, hollol ddistaw. Gwrandawodd y ddau'n astud wrth i'r dyn mewn du fynd o amgylch y stafell yn chwilota o dan, uwchben a thu ôl i bethau. Clywodd ei gamau'n agosáu at eu cuddfan. Stopiodd y dyn o flaen y cwpwrdd. Daliodd Mari ei gwynt. Gwelodd y golau yn y crac rhwng y drysau'n pylu wrth i'r dyn blygu tuag atynt.

'Think you may have found something there, do you?' gofynnodd y dyn mewn gwisg lliw caci.

'Um, I'm not sure, sir,' meddai'r llall.

'Let me have a look.'

Clywodd Mari ef yn agosáu at y cwpwrdd.

'Well, open it.'

'Yes, sir.'

Caeodd Mari'i llygaid. Clywodd ddrysau'r cwpwrdd yn gwichian agor. Goleuai'r tywyllwch tu ôl i'w llygaid. Agorodd y rheiny'n araf bach. Yn sefyll yno, yn silwét du yn erbyn cefndir golau coch y tân, roedd y dyn mewn caci.

'You again!' bloeddiodd gan edrych yn filain ar Mari. Syllodd Mari'n ôl arno.

'*What have you got there?*' gofynnodd, gan edrych ar y papur newydd oedd yn dal yn ei dwylo.

'*Give it to me,*' meddai'r dyn.

Gafaelodd Mari'n dynnach yn y papur.

'*Am I going to have to force it from you? Give it to me now...*'

Plygodd y dyn ymlaen.

Daliodd Mari ei gwynt. 'Dyma'r diwedd,' meddai wrthi ei hun.

Yr eiliad nesa, teimlodd rywbeth yn rhuthro heibio iddi, a diflannodd y dyn.

'Rhed, Mari!' Roedd Osian wedi lansio'i hun allan o'r cwpwrdd a thaclo'r dyn. Roedd hwnnw wedi disgyn yn ôl a glanio yn y tân, a bellach roedd yn rholio ar hyd y llawr a'r fflamau wedi cydio yn ei wisg.

'*Arghg arghg, put the fire out, you nincompoop!*' gwaeddodd ar y dyn mewn du.

Roedd hwnnw'n rhedeg o gwmpas fel gwallgofddyn, yn fflapio'i ddwylo, a cheisio diffodd y fflamau heb fawr o lwyddiant.

'Rhed, Mari, rhed!'

Cododd Mari a stwffio'r papur newydd i lawr ei chrys. Neidiodd allan o'r cwpwrdd, gan ruthro heibio ac allan trwy'r drws. Roedd Osian eisoes y tu allan ac yn codi'r llyfrgellydd dros ei ysgwydd a hithau'n griddfan mewn poen. Rhuthrodd y ddau trwy'r Llyfrgell, heibio'r pentyrrau o lyfrau, heibio'r sgrin hysbysebu, dros y rwbel ger y mynediad, ac allan i'r stryd. Rhedasant yr holl ffordd adra heb gymryd fawr o seibiant nac edrych yn ôl.

'Neno'r Tad! Be sy?' meddai Taid, a oedd bron â gorffen codi'r lloches, pan gyrhaeddodd y ddau yn chwys domen, yn brwydro i anadlu, ac Osian yn cario'r llyfrgellydd dros ei ysgwydd. Tynnodd Mari'r papur newydd o'i chrys a'i agor o flaen Taid.

'O Iesgob,' meddai Taid. 'Well i chi ddod i mewn.'

Pennod 11

Diferion o law yn dod drwy dwll yn y lloches

Er ei bod yn amser swper, eisteddai pawb heb fwyta dim. Roedd Mari ac Osian wedi gadael y tatws ar ôl yn y Llyfrgell. Newydd gyrraedd adre roedd Nest, wedi diwrnod prysur yn trin cleifion yn yr ysbyty. Gwisgai ei dillad nyrs, a'r rheiny'n dangos olion y trychinebau roedd hi wedi gorfod eu hwynebu yn ystod y dydd. Roedd ei gwallt yn llwch i gyd, ac yn flêr o dan ei chap.

'Wir yr, chi'ch dau, fedra i'm coelio eich bod chi wedi gwneud hyn,' meddai a'i llais yn crynu. 'Sut gallwn ni ddal ati heb fwyd yn ein boliau? E? Dudwch wrtha i plis, achos dwn *i* ddim!'

'Paid â bod yn rhy galed arnyn nhw, Nest,' meddai Taid. 'Maen nhw 'di cael diwrnod caled.'

'*Y nhw* 'di cael diwrnod caled?' meddai Nest. 'Dwi'n siarad hefo chi hefyd, Dad. Chi oedd i fod yn gyfrifol amdanyn nhw heddiw.'

Edrychodd Taid ar y llawr, a golwg euog ar ei wyneb. Edrychai fel rhyw hogyn bach drwg, ac nid y dyn roedd Mari'n ei edmygu cymaint.

'Ac os dach chi'n meddwl eich bod chi 'di cael diwrnod caled,' meddai Nest, a'i llygaid yn fflachio, 'mi wnâi les i chi dreulio diwrnod yn yr ysbyty 'na'n trin claf ar ôl claf heb ddigon o offer na meddyginiaeth i wneud y mymryn lleia o wahaniaeth.' Daeth dagrau i lygaid Nest. 'O, dwi 'di cael digon,' meddai. 'Dwi'n mynd i orffwys.'

Aeth i gefn y lloches, lle'r oedd Taid wedi gosod blancedi a achubwyd o'r garafán, a gorwedd yno. Gallai Mari ei chlywed yn crio'n ddistaw, a llifai ton o euogrwydd drosti. Hiraethai am ei mam. Byddai wedi gwneud unrhyw beth i'w chael yn ôl rŵan.

Eisteddodd y tri ohonynt mewn distawrwydd, gan osgoi edrych ar ei gilydd. Doedd dim i'w glywed ond sŵn Nest yn wylo yng nghefn y lloches a dripian y glaw y tu allan. Roedd twll bach yn nho'r lloches, a bob hyn a hyn llwyddai diferyn i wasgu trwyddo a disgyn i'r llawr o flaen Mari.

'Aww!' Torrodd ochenaid y llyfrgellydd drwy'r distawrwydd. Neidiodd y tri gan gofio'n sydyn am helynt y diwrnod. Cododd Nest a symud y blancedi roedd Taid wedi'u rhoi dros y llyfrgellydd i'w chadw'n gynnes. 'Awww,' griddfanodd honno wedyn, gan eistedd i fyny a mwytho'i phen.

'Be ar y ddaear…?' gofynnodd Nest.

Edrychodd Nest ar Taid am esboniad. 'Ymm… mae 'na dipyn o waith esbonio yn fan hyn,' meddai yntau wrthi.

'Lle ydw i?' gofynnodd y llyfrgellydd gan ddal i edrych o'i chwmpas.

'Yyymm… efo ni, teulu'r Wilias,' meddai Taid.

'Be dwi'n neud yma?' holodd wedyn.

'Cwestiwn da!' meddai Nest.

Edrychodd Taid, Mari ac Osian ar ei gilydd yn euog. 'Ymmm… ' meddai'r tri.

'Dwi'n aros am ateb,' meddai Nest yn bendant.

Edrychai'r llyfrgellydd yn ddryslyd o'r naill wyneb i'r llall.

'Dad?' meddai Nest.

'Reit, ia, wel, 'dan ni mewn tipyn bach o helynt, a deud y gwir.'

Aeth Taid ati i adrodd yr hanes, â Mari ac Osian yn torri ar ei draws i ychwanegu ambell fanylyn.

'Reit,' meddai Nest. 'Bydd yn rhaid inni wneud rhywbeth am hyn. Dad, dewch hefo fi i'r garafán. Peidiwch chi'ch tri â meiddio symud cam.'

Edrychodd Mari ar y llyfrgellydd a gwenu'n wan. Ochneidiodd hithau, a gorwedd yn ôl o dan y blancedi.

Gwelodd Mari ei chyfle. Estynnodd y papur newydd roedd hi wedi'i gymryd o'r Llyfrgell. Meddyliodd am yr hyn roedd hi wedi'i ddarllen ar dudalen flaen y papur. *This is your last opportunity to read the truth about the Bush Enterprises empire. For the sake of every one of us, please store this truth in your memory, for it will never see the light of day again.* Agorodd y papur allan o'i blaen, a darllen.

'THE BUSH ENTERPRISES TRANSNATIONAL ENERGY CORP. HAS RAPED, PILLAGED, AND DESTROYED OUR WORLD – IT HAS DONE THIS IN ITS QUEST FOR OIL.'

Roedd Mari'n ymwybodol o'r ffaith fod olew yn rhywbeth oedd yn cadw'r byd i droi, erstalwm. Ei fod, yn ystod yr ugeinfed ganrif, ar gael ymhob man. Ei fod, erbyn rŵan, mwy neu lai wedi dod i ben. Roedd hi wedi dysgu hyn yn yr ysgol, cyn i honno gau.

Aeth ymlaen i ddarllen am y ffordd roedd y BETEC, fel roedd y papur yn ei alw, wedi dinistrio miliynau o aceri o diroedd ffrwythlon. Wrth i'r cwmni dynnu'r olew o'r ddaear, roedden nhw'n gyfrifol am ddileu cannoedd o rywogaethau a fu'n byw yno.

Fel rhan o'r broses, roedd yn rhaid gyrru dŵr o dan y ddaear i wthio'r olew i'r wyneb. Ond roedd y dŵr a'r olew'n llawn cemegau gwenwynig, ac i arbed arian ni fyddai'r BETEC yn trin y dŵr budr. Yn hytrach, câi ei ollwng i'r afonydd, i'r môr, i dyllau yn y ddaear – yn y mannau mwyaf cyfleus i'r cwmni.

Nid yn unig roedd y dinistr yn effeithio ar y cynefinoedd a'r rhywogaethau, ond hefyd ar y bobol oedd yn dibynnu arnynt. Gwelodd Mari luniau o blant yn llwgu i farwolaeth oherwydd nad oedd eu tadau'n gallu dal digon o bysgod i'w bwydo. Gwelodd luniau o fabanod wedi'u geni â dau ben, a phlant yn marw o ganser yr ysgyfaint, oherwydd bod y mygdarthau o'r gweithfeydd olew yn llygru'r aer. Roedd y lluniau'n gwneud iddi deimlo'n sâl.

Ond nid dyna'i diwedd hi. Darllenodd wedyn am y ffordd roedd y BETEC yn rhoi arian – miliynau o bunnoedd – i unbenaethiaid creulon er mwyn ennill yr hawl i dynnu olew o diroedd eu gwlad. Yn aml byddai'r BETEC yn cynnig cymorth i'r unbenaethiaid i sicrhau na fyddai pobol dlawd yn eu gwledydd yn codi i brotestio – hyd yn oed pe bai hyn yn golygu lladd pobol ddiniwed. O ganlyniad, câi'r cwmni symiau enfawr am yr olew, yn ogystal â childwrn hael i'r unben.

Ond nid dyna'r cwbl. Roedd pobol wedi dechrau sylweddoli bod llosgi'r holl olew i yrru ceir, cynhesu tai, neu i gynhyrchu nwyddau plastig yn cael effaith ar yr hinsawdd. Câi'r olew hwn, wrth gwrs, ei ddarparu gan gwmnïau fel y BETEC. Roedd y nwyon o'r olew'n llosgi yn codi ac yn amgylchynu'r ddaear, gan achosi i ormod o wres yr haul gael ei gadw oddi mewn i ffiniau'r ddaear. Y canlyniad fu cynhesu'r byd ar raddfa nas gwelwyd cyn hynny gan greu effeithiau catastroffig. Daliai'r cwmnïau i wneud biliynau o bunnau o elw wrth i'r newid yn yr hinsawdd achosi sychder, llifogydd, newyn, poen a dioddefaint ym mhedwar ban byd. Ceisiwyd hefyd gadw'r ffaith fod yr olew'n prinhau yn gyfrinach. Ni chafodd pobol amser i baratoi ar gyfer byw hebddo.

Yn ogystal â'r dioddefaint a achoswyd gan y newid yn yr hinsawdd a phrinder ynni, roedd y diffyg adnoddau a ddaeth yn sgil y newid wedi achosi rhyfeloedd ar draws y byd. Roedd miliynau ar filiynau o bobol a oedd eisoes yn dioddef effeithiau tlodi wedi dioddef yn waeth fyth wrth gael eu dal yn y rhyfela. Darllenodd Mari fod trychineb y ddau dŵr enfawr yn Efrog Newydd yn yr Amerig, y gwelsai ei mam ar y teledu pan oedd hi'n fach, yn gysylltiedig mewn rhyw ffordd â'r ysfa i sicrhau cyflenwad o olew.

Gollyngodd Mari'r papur newydd a rhoi'i phen yn ei dwylo. Doedd dim rhyfedd bod cymaint o ddioddefaint yn y byd heddiw – pobol yn gorfod ffoi o'r tiroedd isel oherwydd y llifogydd, ac o ardaloedd yn dioddef o sychder gan ei bod hi'n amhosib byw yno. Doedd dim rhyfedd bod pobol yn dod yn eu cannoedd i drefi ar dir uchel, fel Blaenau Ffestiniog, er nad oedd digon o adnoddau i'w cynnal mewn gwirionedd. Doedd dim rhyfedd bod y Fam Ddaear wedi torri o dan y straen.

Daeth cwestiwn i feddwl Mari. 'Pam roedd pobol yn fodlon gadael iddyn nhw wneud yr holl bethau ofnadwy hyn? Pam?' Ond ni chafodd ateb. Doedd y peth jest ddim yn gwneud synnwyr.

Teimlai'n flin wedyn. Roedd y Bush Enterprises Transational Energy Corp. wedi symud i Flaenau Ffestiniog. Wedi ffoi yma, siawns, ar ôl i'w pencadlys yn Llundain ddiflannu o dan y dŵr. Teimlai Mari'n fradwr am ei bod yn troedio'r un tir â nhw.

Sylweddolodd yn sydyn ei bod hi, Osian a'r llyfrgellydd mewn perygl difrifol. Roedd hi'n deall rŵan pam bod y BETEC yn ceisio dinistrio pob tystiolaeth o'i hanes dychrynllyd. Ond doedden nhw ddim wedi llwyddo, oherwydd roedd hi, Mari, wedi cael gafael ar yr adroddiad papur newydd ac wedi atal yr hanes rhag mynd yn angof. Ond os oedd y BETEC yn fodlon arteithio a lladd, mi fydden nhw hefyd yn fodlon ei harteithio a'i lladd hithau pe caent y cyfle.

Cododd ei phen yn sydyn. Wrth weld pâr o esgidiau cryfion yn sefyll o'i blaen. Rhoddodd ochenaid o ryddhad wrth weld mai Taid oedd yno.

'Mari, mae'n rhaid i ni fynd i fyny i'r mynydd i guddio,' meddai. 'Does ganddon ni ddim dewis. Rhaid i ni fynd rŵan. Tyrd.'

Pennod 12

Y daith yn hir ac anghyfforddus

Roedd coesau Mari'n brifo a theimlai'n wan. Dim ond uwd roedd hi wedi'i fwyta ers y bore, ac roedd y pac ar ei chefn yn drwm. Er bod ganddi ddarn o darpolin drosti fel clogyn i'w chadw'n sych, roedd y gwynt yn dal i chwipio'r diferion oer i'w hwyneb. Ni allai weld i ble roedd hi'n mynd, a phob yn ail gam byddai'n baglu dros garreg neu dwmpath o laswellt. Doedd dim golwg o'r lleuad yn yr awyr heno, a chaeai'r tywyllwch diddiwedd o'i hamgylch fel magl.

Taid oedd yn eu harwain, y llyfrgellydd yn ei ddilyn, wedyn Mari, ac Osian ar ei hôl hi. Roedd Nest yn bwriadu aros yn y dref er mwyn ceisio trefnu i anfon bwyd atynt. Ar y pryd doedd a wnelo hi ddim â'r helynt, felly roedd siawns y byddai'n saff. Stryffaglodd y pedwar trwy'r tywyllwch mewn distawrwydd, rhag tynnu sylw atynt eu hunain. Roedd pob un yn ddwfn yn ei feddyliau ei hun wrth geisio dychmygu beth oedd o'u blaenau. Am ba hyd y gallen nhw fyw fel ffoaduriaid? Sut y gallen nhw oresgyn yr her a oedd yn eu hwynebu? Roedd y dianc hwn yn rhyw fath o garchar ynddo'i hun.

O'r diwedd, cyrhaeddon nhw ogof ar ochr y mynydd.

'Reit, i mewn â chi i fan hyn,' meddai Taid. 'Mi fyddwn ni'n saff yma.'

Camodd pawb i mewn, yn falch o'r cyfle i orffwys. Roedd yr ogof yn oer ac yn dywyll, ond o leiaf roedd hi'n weddol sych a doedd y gwynt ddim yn chwipio o'u cwmpas. Gollyngodd pawb eu paciau'n ddiolchgar, ac estynnodd Taid gannwyll a'i chynnau. Yng ngolau'r gannwyll sylwodd Mari nad ogof oedd hi wedi'r cwbl. Roedd y waliau a'r to yn frith o haenau pigog, fel petaent wedi'u hacio â theclyn miniog. 'Dyn sy wedi creu'r twll hwn,' meddyliodd Mari wrth syllu o'i hamgylch. Daeth gwahanol arwynebau i'r amlwg wrth i'r fflam symud yn yr awel a ddeuai o gefn y ceudwll. Roedd pobol wedi crafu'u henwau yn y waliau: John J 1908; Rich bach 1897; Emlyn Parri 1932; Jez O a Dafydd Dryw 1999; genod Blaenau Street Elite 2008; Kelvin 4 Anita 2001. Roedd fel petai'r holl bobol oedd wedi defnyddio'r ceudwll yn y gorffennol yn ceisio siarad â hi, yn mynnu cyflwyno'u hunain. Aeth ias oer i lawr ei chefn. Er bod oes y bobol hyn wedi hen fynd heibio, roedd yn ymddangos na fedrent orffwyso'n dawel. Roedd y waliau wedi'u rhwydo a'u dal am byth bythoedd. 'Tybed,' meddyliodd Mari, 'ai dyna fydd fy ffawd i?'

Y noson honno, cafodd Mari freuddwyd. Doedd hi ddim wedi llwyddo i gysgu rhyw lawer, ond yn ystod un o'r adegau prin hynny pan lwyddodd i gau'i llygaid, clywodd sŵn stampio traed. Yno, o'i blaen, roedd sgwarnog – un o'r rhai a welsai o amgylch y tân y noson cynt – yn syllu arni. Stampiodd y sgwarnog ei thraed cyn diflannu i gefn y ceudwll. Cododd Mari a'i dilyn, gan sylwi bod y ceudwll yn ymestyn ymhell i mewn i'r mynydd.

Aeth y sgwarnog i mewn i'r twnnel, ac aros am Mari cyn ailgychwyn ar ei thaith. Roedd to'r twnnel yn ddigon uchel i Mari, er y byddai oedolyn yn sicr o gael trafferth sefyll ynddo. Roedd modfeddi o ddŵr ar hyd y llawr, a buan iawn roedd traed Mari'n wlyb diferol wrth iddi ddilyn y sgwarnog. Bob hyn a hyn clywai sŵn dripian lle'r oedd lleithder y mynydd yn gwasgu'i hun trwy do'r twnnel ac yn disgyn i'r llawr. Weithiau disgynnai diferyn ar drwyn Mari, neu ar dop ei phen.

Dilynodd Mari'r sgwarnog a bob hyn a hyn byddai'r twnnel yn rhannu'n ddau lwybyr, ac arhosai'r sgwarnog amdani i ddangos y ffordd. Dechreuodd Mari fwynhau ei hun a daeth gwên i'w hwyneb. Roedd yn amlwg bod y sgwarnog yn awyddus i ddangos rhywbeth iddi, ac edrychai ymlaen at weld beth oedd yn ei haros. Ond yn fwya sydyn trodd y twnnel yn dri llwybyr o'i blaen. Arhosodd Mari wrth y gyffordd ac edrych i weld pa dwnnel roedd y sgwarnog wedi'i ddewis. Ond doedd dim sôn amdani yn unman.

Dilynodd Mari un o'r tweneli am ychydig i weld a allai weld y sgwarnog, ond stopiodd yn stond wrth weld cwymp cerrig o'i blaen. Doedd dim modd dilyn y twnnel hwnnw, felly, a rhoddodd gynnig ar un arall. Ond methodd fynd ymhell ar hyd hwnnw chwaith – roedd twll mawr ar y llwybyr o'i blaen. Aeth yn ôl ac edrych ar hyd y trydydd twnnel, a ymestynnai'n hir a thywyll o'i blaen. Trodd yn ei hôl, gan feddwl dychwelyd at fynedfa'r twll lle'r oedd Taid, Osian a'r llyfrgellydd yn cysgu. Ond roedd wal o lechi'n ei hwynebu.

Tynnodd anadl ddofn wrth i'r panig godi y tu mewn iddi. Sut yn y byd y gallai hi ddianc o'r twnnel? Trodd eto at y twnnel hir a thywyll o'i blaen – doedd ganddi ddim dewis ond mentro ar hyd hwnnw. Cerddodd am amser hir, gan deimlo'n ansicr ac yn awyddus i droi 'nôl, ond gwyddai nad oedd diben gwneud hynny. Roedd pob llwybyr y tu ôl iddi wedi cau. Daliodd i fynd nes ei bod wedi blino'n lân. Disgynnodd i'r llawr yn un pentwr blêr a blinedig. Teimlai'r awydd i grio, ond doedd dim diben gwneud hynny chwaith. Caeodd ei llygaid mewn anobaith...

'Reit! Pawb i godi. Mae'n rhaid i ni gael trefn ar y lle 'ma!'

Treiddiodd llais Taid i mewn i isymwybod Mari fel fflach. Agorodd ei llygaid. Roedd hi'n fore, ac roedd Taid, Osian, a'r llyfrgellydd yn sefyll ym mynedfa'r twll!

Roedd y glaw wedi stopio a'r cymylau'n dechrau codi. O'i blaen roedd yr olygfa hyfryta a welsai Mari erioed. Roedden nhw ar dir uchel, ac edrychai'r dref yn fychan oddi tani. Prin y gallai hi wahaniaethu rhwng y tai unigol. Tynnodd anadl ddofn o'r awyr ffres. Roedd rhyw ryddid mewn bod mor uchel i fyny. Gwenodd wrth i'r haul ddangos ei hun o'r tu ôl i gwmwl a tharo'i hwyneb.

'Mari, paid ag ista fan'na'n gneud dim byd,' meddai Taid. 'Tyrd i helpu i neud panad.'

Er eu bod wedi gorfod gadael ar frys, doedd Taid ddim wedi anghofio'r pethau pwysig. Roedd o wedi dod â digon o ddŵr, sosban, ac ychydig o gamil i wneud te. Roedd yn rhaid bod yn ofalus iawn wrth wneud tân â'r priciau sych roedd Taid hefyd wedi'u cario i fyny'r mynydd, gan nad oedden nhw am i neb weld mwg yn codi o'u cuddfan.

Penderfynodd y llyfrgellydd aros yn y cysgod i yfed ei phanad, ond aeth Mari, Osian a Taid i eistedd ger mynedfa'r ceudwll. Eistedd mewn distawrwydd wnaeth y tri am sbel, yn sipian eu te a cheisio gwneud iddo leddfu'r gwacter yn eu boliau. Gallai Mari weld y llwybyr cam yn arwain at y fan lle gwelsai hi ac Osian y trueiniaid yn troi'r rhod i'r Bush Enterprises Transnational Energy Corp. Doedd dim golwg o neb yno heddiw. Roedd y rhod wedi disgyn oddi ar ei hechel ac yn gorwedd ar ei hochr ar lawr. Mae'n rhaid bod y daeargryn wedi'i chwalu.

Cofiodd Mari yr hyn roedd hi wedi'i ddarllen yn y papur newydd am y BETEC. Roedd y papur yn dal yn saff ganddi.

'Taid, be mae'r Bush Enterprises yn neud yn fan'na?' gofynnodd.

'Mari bach, mi fyddai'n well gen i beidio deud 'tha ti, ond mae arna i ofn bod rhaid.'

Arhosodd Mari iddo ymhelaethu.

'Weli di'r porthladd lawr yn fancw?' gofynnodd Taid, gan bwyntio at y dyffryn oedd yn arwain o Flaenau Ffestiniog i'r môr.

'Gwela.'

Roedd gweddillion tref i'w gweld yn y môr, a ger y rheiny roedd platfform â llong enfawr wedi'i hangori wrth ei ymyl.

'Weli di'r cychod bach yn dod o'r platfform at y tir, a'r trên bach yn teithio i fyny'r dyffryn tuag at y llwybyr cam?'.

'Gwela.'

'Mae'r cwch mawr, y cychod bach a'r trên bach yn cario caethweision o wledydd poeth y byd – llefydd lle does neb yn gallu byw ynddyn nhw bellach oherwydd y gwres – i'r hen chwarel fan hyn. Mae'r Bush Enterprises wedi'u caethiwo nhw, a dod â nhw yma i weithio bob awr o'r dydd a'r nos i gynhyrchu trydan i'r cwmni.'

'Welodd Osh a fi rai ohonyn nhw'n troi'r olwyn fawr 'na,' meddai Mari.

'Dyna maen nhw'n cael eu gorfodi i neud. Pan ddaeth y cyflenwad o olew i ben, doedd gan y Bush Enterprises ddim modd o greu trydan. Doeddan nhw ddim 'di buddsoddi mewn technoleg amgen, ac erbyn i'r olew brinhau doedd ganddyn nhw mo'r modd i adeiladu'r peiriannau angenrheidiol. Felly mi ddechreuon nhw orfodi pobol i yrru'r tyrbeini i gynhyrchu trydan. Dyna ydi'r olwyn fawr 'na, weli di. Mae 'na gannoedd ohonyn nhw yn yr hen chwarel 'na. Y peth ydi, mae angen chwe chant o bobol i weithio am ddiwrnod cyfan i gynhyrchu'r un faint o ynni ag y basa galwyn o olew'n ei neud. Tydi caethwas ynni ddim yn byw'n hir iawn, felly maen nhw'n gorfod mynd ar ôl mwy a mwy o bobol. Dyna ydi'r *Saints and Sinners* yn yr Eglwys – ffordd o gael gafael ar fwy o gaethweision. Ac i gadw golwg arnan ni 'fyd, wrth gwrs.'

Roedd Mari'n syfrdan. Doedd dim rhyfedd bod yr olwg ar wynebau'r caethweision y diwrnod aeth hi ac Osian i ben y llwybyr cam wedi gwneud iddi deimlo'n sâl. Y creaduriaid! Doedd ganddyn nhw ddim gobaith. Cofiodd hefyd yr arswyd a welsai ar wynebau Mr a Mrs Bachar wrth iddyn nhw golli pleidlais *Saints and Sinners* yn yr Eglwys. Roedden nhw'n gwybod beth oedd eu tynged. Cofiodd wedyn beth ddywedodd y Prentis wrth Taid yn y fynwent ar ddiwedd cynhebrwng ei mam. *'You'll pay for this... with an almighty sin binning.'* Dyna fyddai tynged Taid hefyd, felly. Sylweddolodd fod ei thaid mewn gymaint o berygl ag Osian a hithau. Ceisiodd ddychmygu ei hun a'i thaid, yn wan ac yn garpiog, wedi'u clymu wrth yr olwyn fawr, yn cerdded rownd a rownd yn ddiddiwedd, wedi colli pob cysylltiad â'r byd ac yn parhau felly nes iddyn nhw ddisgyn yn farw.

Gwylltiodd Mari. "Di hyn ddim yn iawn!' taranodd. 'Pam bod pobol yn gadael iddyn nhw neud y fath beth? Ac i be maen nhw isho cynhyrchu trydan beth bynnag? Sdim ohono fo'n dod i'r Blaenau, nag oes?'

'Na, ti'n iawn, Mari. Does 'na neb yn Blaenau'n gallu fforddio trydan. Sbia di ar ben arall yr hen chwarel. Weli di'r adeilad mawr gwydr 'na?'

Edrychodd Mari. Roedd craciau mawr wedi ymddangos yn y gwydr o ganlyniad i'r daeargryn, ond gallai weld ei fod yn adeilad crand iawn unwaith.

'Dyna brif adeilad y BETEC,' meddai Taid, 'ac o fan'na maen nhw'n gyrru trydan i gilfachau cyfoethog y byd – llefydd na fyddai pobol gyffredin fel ti a fi byth yn meiddio mynd iddyn nhw. Llefydd lle mae perchnogion ac uwch-swyddogion y BETEC a'u ffrindiau'n byw. Pan ddaeth y byd fel oeddan ni'n ei nabod o i ben, mi wnaethon nhw'n siŵr eu bod yn edrych ar ôl eu hunain, a neb arall.'

'Ia, ond sut maen nhw 'di cal getawê hefo hyn?'

'Oherwydd ein bod ni'n farus.'

'*Ni*'n farus?'

'Ia. Ni'r Cymry fel pawb arall. Roeddan ni'n mynnu cael yr holl bethau roedd eu holew nhw'n eu rhoi inni – pethau nad oeddan ni wir eu hangen, jest ein bod ni'n meddwl eu bod nhw'n gneud inni deimlo'n well. Pobol yn cael car newydd achos eu bod nhw wedi syrffedu ar yr hen un; pobol yn siopa bob dydd Sadwrn am ddillad newydd er bod ganddyn nhw fwy nag y gallen nhw eu gwisgo byth; siopa am fwyd bob wythnos, ac wedyn gwastraffu traean ohono fo a degau o sianeli i'w gwylio ar y teledu. I be? Doedd dim gobaith o allu'u gwylio nhw i gyd. Eu holew nhw oedd yn rhoi'r cwbl inni, a doeddan ni ddim yn meddwl ddwywaith am y petha roeddan ni'n eu dinistrio i sicrhau ein ffics – ein cynefin ffrwythlon, ein hiaith, ein diwylliant, ein cymunedau, ein hawliau a'n rhyddid...

'Roeddan ni'n sylweddoli bod 'na bobol mewn gwledydd eraill yn diodda, bod 'na newid yn yr hinsawdd, a bod adnoddau'r byd yn prinhau, ond dewis anwybyddu'r gwir wnaethon ni, rhag amharu ar ein bywydau moethus ni. Roeddan ni'r Cymry cyn waethed â phawb arall, cofia, yn meddwl mai'r Saeson oedd ar fai am bob dim. Ond, roeddan ni'r un mor euog â phawb arall, yn dewis ffeirio'n rhyddid am foethusrwydd. Roeddan ni'n gaethweision iddyn nhw 'mhell cyn iddyn nhw ddechrau'n herwgipio ni. A rŵan, fel y gweli di, 'dan ni'n rhy wan i wneud fawr ddim. Dyna sut maen nhw 'di cael getawê.'

Roedd llais Taid yn flinedig, fel petai wedi colli'r awydd i fyw.

'Ond Taid, mi wnaethoch chi ddeud wrthon ni am beidio ag anobeithio.'

'Gwir, Mari, gwir,' meddai Taid, ond swniai ei eiriau yn wag.

Edrychodd Mari arno'n bryderus, ond cododd ar ei draed.

'Wel, chi'ch dau,' meddai, 'rhaid i mi fynd i nôl y pecyn bwyd 'na fydd Nest wedi'i adael inni wrth y giât. Wela i chi mewn munud.'

Gwyliodd Mari ac Osian ef wrth iddo gerdded ar hyd y llwybyr y buon nhw'n ei ddringo neithiwr, nes diflannu y tu ôl i graig fawr. Ond er iddynt aros ac aros am amser hir, ni ddaeth Taid yn ôl.

Pennod 13

Y newyn yn ymledu trwy gorff Mari

'Be 'dan i'n mynd i neud, Mari?' gofynnodd Osian yn bryderus, wedi aros am oriau i Taid ddod yn ôl.

'Yn gynta, Osian, mae'n rhaid inni fyta,' oedd ei hateb. Trodd at y llyfrgellydd. 'Mae Osian a fi am fynd i weld os ydi'r pecyn bwyd yn dal i fod yna,' meddai wrthi.

Nodiodd y llyfrgellydd. Roedd y grasfa a gawsai gan swyddogion y BETEC yn y Llyfrgell yn dechrau effeithio arni ac roedd fel petai'n gwanhau o awr i awr.

Cychwynnodd Osian ar hyd y llwybyr oedd yn arwain i lawr y mynydd.

'Na Osian, paid â mynd ffor 'na,' meddai Mari wrtho. 'Dilyna fi.' Arweiniodd Mari'i chefnder ar hyd ochr y mynydd ac i ben y graig lle'r oedd Taid wedi diflannu. 'Mae'n rhaid inni fod yn ofalus,' ychwanegodd.

Wrth gyrraedd y graig, gorweddodd Mari ar ei bol a llusgo'i hun ymlaen. 'Titha 'fyd, Osian,' sibrydodd.

Ar ymyl y graig, pwysodd y ddau ymlaen i weld a oedd 'na unrhyw beth yr ochr arall iddi. Oedd, roedd y pecyn bwyd yn dal yno, wrth y garreg lle'r oedd Nest wedi addo ei adael. Ond, o'r fan hyn, gallent weld dau ddyn mewn du yn cuddio y tu ôl i'r garreg, yn aros i gipio pwy bynnag fyddai'n mynd i nôl y pecyn bwyd. Mae'n rhaid eu bod wedi dilyn Nest o'r tŷ. Suddodd calon Mari wrth feddwl am ei modryb, yn ddiarwybod iddi, yn arwain y BETEC yn syth at y fan lle y gallent ddal y rhai roedd hi'n ceisio'u gwarchod. Gallai weld olion ar y ddaear lle roedd Taid druan wedi ceisio dianc o grafangau'r dynion BETEC. Daeth lwmp i'w gwddf.

'Diolch byth, dydyn nhw ddim wedi'n gweld ni,' sibrydodd Mari gan gilio'n ôl i gysgod y graig. 'Ond bydd yn rhaid inni symud o'r ceudwll,' meddai, 'neu mi fyddan nhw 'di'n dal ni cyn iddi nosi.'

Cychwynnodd y ddau 'nôl ar frys i'r ceudwll. Yn sydyn, safodd Mari'n stond.

'Osian!' ebychodd yn dawel. 'Cuddia!'

Neidiodd y ddau y tu ôl i graig, lle gallent weld y fynedfa i'r ceudwll. Roedd dau ddyn arall mewn du yn sefyll yno. Aeth un i mewn i'r ceudwll, a gwyliodd Mari wrth iddo lusgo'r llyfrgellydd allan. Prin ei bod hi'n gallu sefyll ar ei thraed. Rhoddodd y dyn arall bwniad iddi i'w gorfodi i gychwyn i lawr am y dre, a baglodd hithau'n boenus yn ei blaen. Daliodd Mari ac Osian eu gwynt wrth i'r tri basio'u cuddfan. Edrychodd Mari ar wyneb y llyfrgellydd. Roedd ei llygaid yn ddifywyd a llawn anobaith, gan atgoffa Mari o wynebau'r caethweision yn troi'r rhod, wynebau Mr a Mrs Bachar, a wynebau'r bobol yn y llun papur newydd. Doedd dim diben neidio allan i geisio achub y llyfrgellydd. Ni fyddai hi ac Osian, er mor fawr oedd o, yn llwyddo i oresgyn y ddau ddyn mewn du.

Wedi iddynt basio, rhedodd Mari ac Osian i gyfeiriad y ceudwll.

'Reit, rhaid inni frysio, Osian,' meddai Mari. 'Dos di i nôl dwy flanced, a'r tarpolinau, ac mi a' i â'r dŵr a'r...' Tawelodd yn sydyn wrth glywed llais y tu allan i'r fynedfa.

'*They're not up there anyway,*' meddai, a llais arall yn ymateb, '*Blighters, where could they have got to? It's not as if there are many places to hide on this godforsaken hillside.*'

Edrychodd Mari ac Osian ar ei gilydd. Yr unig le i guddio oedd pen pella'r ceudwll. Gafaelodd Mari yn y papur newydd a'i stwffio o dan ei chrys. Gollyngodd bopeth arall a rhedodd y ddau i'r tywyllwch.

Daeth y dynion i mewn i'r ceudwll.

'*Well, everything they'd need to survive is here. They'll have to come back. I reckon we just sit here and wait,*' dywedodd, gan eistedd wrth y fynedfa.

Suddodd calon Mari am yr eildro. Yr unig ffordd o ddianc rhag y BETEC oedd dilyn y twnnel llaith, tywyll i ganol y mynydd. Doedd dim dewis arall. Gafaelodd Mari yn llaw Osian a symud yn ddistaw bach at geg y twnnel. Er i Osian gael trafferth wrth wasgu drwy rai rhannau, llwyddodd y ddau i symud yn eu blaenau'n araf bach. Roedd y twnnel yn teimlo'n gyfarwydd i Mari, a chofiodd yn sydyn am ei breuddwyd y noson cynt. Felly, bob tro y deuent at fforch yn y llwybyr, roedd fel petai'n gwybod pa dwnnel i'w ddewis. Diolchodd yn ddistaw bach i'r sgwarnog oedd wedi'i harwain yn ei breuddwyd.

O'r diwedd daethant at y fforch i dri thwnnel lle, yn ei breuddwyd, roedd y sgwarnog wedi diflannu o'r golwg. Tynnodd anadl ddofn. Roedd hi'n gwybod pa lwybyr i'w ddilyn, ac yn gwybod hefyd y byddai hwnnw'n un hir, tywyll ac anodd.

Wedi cerdded am amser hir, safodd Osian yn stond. 'Dwi isho bwyd, Mari,' cwynodd.

'Finna hefyd, Osh,' meddai Mari, 'ond mae'n rhaid inni ddal ati.'

Doedd yr un o'r ddau wedi bwyta ers diwrnod a hanner bellach, ac roedd hynny'n effeithio'n fawr arnynt. Teimlai Mari fel petai ei phen heb fod cweit yn sownd wrth ei hysgwyddau, na'i llais yn dod o'i cheg ei hun. Weithiau, roedd hi'n meddwl ei bod yn gweld y sgwarnog honno a welsai yn ei breuddwyd. Trodd i edrych ar Osian – edrychai fel petai wedi troi'n gi, yn gwenu ac yn siglo'i gynffon.

Ceisiodd Mari gofio pam roedden nhw'n symud ar hyd y twnnel cyn sylweddoli eu bod yn dianc rhag y BETEC, ac eto weithiau roedd fel petai'n clywed Taid yn y pellter, a'u bod yn chwilio amdano fo. Weithiau gwelai ei chalon a gawsai ei thorri allan a'i chladdu yn rhywle dwfn a thywyll ymhen draw'r twnnel. Ai chwilio am ei chalon oedd hi? Ar adegau, ymddangosai'r ffurfiau a ddaeth ati wrth y tân ar noson y ddaeargryn. Efallai mae chwilio am yr hyn y dylai'i wneud roedd hi?

Stryffaglodd y ddau yn eu blaenau, eu coesau ond prin yn eu cario o'r naill gam i'r llall. Ymhen hir a hwyr daethant at geudwll mawr. Roedd rhywfaint o'r to wedi disgyn, a gallai Mari weld golau dydd ymhell uwch ei phen. Roedd y cyfuniad o'r ychydig olau a'r lleithder wedi achosi i blanhigion dyfu o dan ddaear. Edrychai'r rhedyn a'r mwsogl yn llachar ar ôl i'r ddau dreulio cymaint o amser yn y tywyllwch. Rhedodd Mari atynt a rhoi deilen yn ei cheg. Disgynnodd diferion oer ar ei thafod. Caeodd ei llygaid, a mwynhau'r teimlad.

Wedi eu hailagor, sylwodd ar goeden a dyfai ar gefnen uwch ei phen. Un fach wydn oedd hi, ac afalau surion yn tyfu arni. Ceisiodd Mari ymestyn tuag ati, ond roedd yn llawer rhy uchel i'w chyrraedd. Ceisiodd ddringo i fyny'r llethr drwy afael yn y rhedyn i'w thynnu'i hun i fyny. Llwyddodd i gyrraedd gwreiddiau'r goeden, ac roedd wrthi'n tynnu ar un o'r rhain pan glywodd sŵn hisian. Edrychodd i fyny. O'i blaen, yn edrych i fyw ei llygaid, roedd neidr, a honno yr un lliw llachar â'r rhedyn. Arhosodd Mari yn ei hunfan mewn braw. Symudodd y neidr ei phen oddi wrthi cyn ei daflu'n ôl a'i brathu ar ei boch. Gollyngodd Mari'r gwreiddyn a disgyn i'r llawr gan lanio ar bentwr o fwsogl llaith. Am eiliad, gwelodd y goeden a'r neidr yn silwét yn erbyn golau'r dydd uwch ei phen ac yna, yn sydyn, diflannodd popeth.

'Mari, ti'n iawn, Mari?'

Clywodd lais Osian yn galw arni fel petai ymhell i ffwrdd.

'Mari?'

Daeth ei lais ychydig yn agosach.

'Mari!'

Taranodd ei lais yn ei chlustiau. Agorodd ei llygaid a chwerthin wrth weld Osian yn sefyll o'i blaen – ond roedd ganddo ben ci! Roedd o'n trio dweud rhywbeth wrthi, ond y cwbl a glywai hi oedd sŵn cyfarth. Taflodd ei phen yn ôl a chau'i llygaid, a'r pyliau o chwerthin yn dianc yn ddibaid o'i cheg.

Teimlodd slap ar ei boch. Eisteddodd i fyny ac agor ei llygaid. Osian oedd yno a chanddo'i ben ei hun erbyn hyn.

Fyddai Osian byth fel arfer yn rhoi slap i neb. Gafaelodd yn ei boch boenus a daeth dagrau i'w llygaid.

'Gawn ni fynd rŵan, Mari?' meddai Osian.

Ymhen hir a hwyr daethant at geudwll arall. Roedd twll yn y to a llafn o olau'n ymestyn ohono i'r llawr. Aeth Mari i eistedd yn y golau.

'Gawn ni ista am eiliad, Osh?' gofynnodd, gan droi'i hwyneb at y llafn o olau a chau'i llygaid cyn iddo gael siawns i ymateb. Eisteddodd Osian ar garreg y tu draw i'r golau.

Teimlai Mari'n gynnes braf yn y golau a chaeodd ei llygaid i orffwys. Yn sydyn, clywodd sŵn pobol yn symud o'i hamgylch, ac agorodd ei llygaid. Doedd hi ddim yn y ceudwll bellach, ond yn hytrach mewn ogof ar ffurf tŷ. Roedd ynddi dair merch, un yn hen iawn, ei chefn yn grwm, a chanddi grychau dwfn yn ei chroen. Roedd ei gwallt o liw lludw, ac roedd ganddi bloryn anferthol ar ei thrwyn. Ond eto roedd rhywbeth digon ystwyth yn ei chylch – sionc, hyd yn oed.

Roedd yr ail ferch yn llawer iau, ei gwallt hir du yn disgyn at ei chanol, a symudai'n osgeiddig o amgylch y stafell. Merch fach oedd y drydedd; a golwg ddiniwed arni. Dilynai'r ddwy arall o amgylch y lle, yn gwylio popeth roedden nhw'n ei wneud. Roedd y tair wrthi'n brysur yn paratoi rhywbeth, ond ni allai Mari weld beth.

'Reit, tyrd ti â'r ddysgl yna i fi,' meddai'r hen wrach gan bwyntio at gwpan mawr crwn. Wedi i'r ferch fach ei estyn, aeth y wrach at grochan oedd yn ffrwtian ar dân yng nghanol y stafell. Cododd rywfaint o'i gynnwys i mewn i'r cwpan. Aeth y ddynes osgeiddig at ffenest yn nho'r stafell a'i thaflu'n llydan agored gan adael llafn o olau i'r stafell. Edrychodd Mari allan trwy'r ffenest. Yno gwelai'r haul a'r lleuad yn dawnsio o amgylch ei gilydd.

"Na ni,' meddai'r hen wrach.

Gostyngodd Mari'i phen i weld beth oedd yr hen ddynes yn ei wneud. Dawnsiai o amgylch y llafn o olau gan ddal rhannau ohono yn y cwpan. Rhywsut, roedd yr hylif yn y cwpan yn tywynnu'n aur ac yn arian ar yr un pryd.

"Na ni,' meddai'r wrach eto, 'mae o'n barod rŵan. Cymera fo a'i roi o iddi,' meddai gan estyn y cwpan i'r ferch fach. Camodd hithau'n swil at Mari.

'Yfa hwn,' meddai gan gynnig y cwpan iddi.

Edrychodd Mari o'i hamgylch i wneud yn siŵr mai hefo hi roedd y ferch yn siarad, cyn cymryd y cwpan ac yfed ohono. Treiddiodd yr hylif drwyddi fel mêl, gan ei chynhesu o'i chorun i'w sawdl.

'Mari, rydan ni wedi rhoi dy galon yn ôl i ti,' meddai'r ddynes osgeiddig. Edrychodd Mari at y fan lle dylai ei chalon fod. Yno gwelai galon fawr goch, gydag amlinell o aur ac arian o'i chwmpas, a honno'n curo'n gadarn. Daeth dagrau i'w llygaid wrth iddi deimlo, am y tro cyntaf, y golled a ddioddefodd. Edrychodd yn ôl i ddiolch i'r tair merch ond roedden nhw wedi diflannu erbyn hynny. Roedd Mari'n ôl yn y ceudwll, yn y llafn o olau, ac Osian wrth ei hymyl.

'Ti'n gweld hwnna, Mari?' meddai Osian, gan bwyntio tuag at allanfa'r ceudwll.

Roedd baedd yn sefyll yno. Trodd ar ei union a diflannu i'r tywyllwch.

'Rhaid inni ei ddilyn o,' meddai Mari gan neidio ar ei thraed. 'Tyrd, Osian!'

Teimlai Mari ryw nerth anghyffredin wrth iddi redeg gan afael yn llaw Osian a'i arwain trwy'r tywyllwch. Roedd y baedd yn symud yn gyflym, ond llwyddent i gadw ar ei drywydd gan ei fod yn rhochian yn uchel.

Cyn pen dim roedd y baedd, Mari ac Osian wedi ffrwydro allan o'r twnnel a glanio ar ochr y mynydd. Rhochiodd y baedd fel petai'n deud ffarwél a diflannu or golwg. Arhosodd Mari ac Osian yn llonydd am sbel i gael eu gwynt atynt.

Roedd Mari'n falch o weld eu bod wedi dod allan ar ochr arall y mynydd, y tu hwnt i'r lle'r oedd y BETEC yn aros amdanynt. Wrth edrych o'i chwmpas, gwelodd dyddyn bach ychydig islaw iddynt.

'Awn ni i ofyn am fwyd yn fan'na,' meddai wrth Osian.

Gwenodd yntau, gan edrych ymlaen at gael bwyta o'r diwedd.

Erbyn i'r ddau gyrraedd y tyddyn, roedd hi wedi dechrau tywyllu. Roedd rhan o'r sied y tu allan wedi'i dymchwel yn y daeargryn, ond fel arall roedd pobman i'w weld yn weddol gyflawn. Safodd Mari y tu allan a galw. Dim ateb. Teimlai'r lle'n gyfarwydd, fel petai hi wedi gweld y tyddyn o'r blaen. Aeth at y drws a chnocio. O'r diwedd, clywodd sŵn cyfarth oddi mewn. Gwthiodd y drws yn agored a gweld hen gi'n sefyll yno. Cofiodd Mari'n sydyn pam bod y lle'n gyfarwydd – hwn oedd cartref Mr a Mrs Bachar, a welsai hi ar *Saints and Sinners* yn yr Eglwys. Camodd i mewn i'r tŷ. Ciliodd y ci a gwneud sŵn bach yng nghefn ei wddf.

Plygodd Mari yn ei chwrcwd. 'Mae popeth yn iawn, yr hen gi,' meddai. 'Dydan ni ddim am wneud niwed iti.' Eisteddodd y ci yn dawel. 'Osian, tyrd i mewn,' meddai Mari. 'Does 'na neb yma.'

Aeth at y cwpwrdd bwyd a thynnu popeth allan ohono. Doedd dim llawer yno, a pheth o hwnnw wedi llwydo, ond roedd yn well na dim. Dechreuodd y ddau fwyta'n awchus, ac ni ddywedodd yr un o'r ddau air nes bod pob briwsionyn wedi diflannu.

Eisteddodd y ddau'n ôl yn fodlon, ond yna dechreuodd y ci wneud sŵn cnewian.

'Ddylsan ni fod 'di rhoi peth iddo fo,' meddai Osian yn euog.

'Dylsan,' meddai Mari. Edrychodd o'i chwmpas rhag ofn bod bwyd ar ôl, ond roedden nhw wedi llowcio'r cyfan. 'Sori'r hen gi,' meddai. 'Nawn ni drio dod o hyd i rywbeth i ti yn y bore.'

Rhoddodd y ci ei ben ar ei bawennau ac edrych arnynt.

'Be nawn ni rŵan, Mari?' meddai Osian.

'Dwn i'm Osian, dwn i'm,' meddai hithau gan orffwys ei phen ar ei breichiau ar y bwrdd. 'Rho amser imi feddwl.'

Pennod 14

Newid yng nghyfeiriad y gwynt a'r drws yn gilagored

Daeth chwa o wynt oer y bore i mewn a tharo Mari ar ei hwyneb. Anadlodd yn ddwfn gan godi'i phen ac edrych o'i chwmpas. Lle'r oedd hi? Roedd Osian yn eistedd wrth ei hymyl, ac yntau'n cysgu a'i ben ar y bwrdd. Clywodd Mari sŵn cnewian a theimlodd rywbeth oer a llaith yn rhwbio'i ffêr. Safai ci wrth ei thraed, yn edrych arni'n obeithiol.

Rhuthrodd atgofion am y diwrnod cynt yn ôl i'w meddwl. Ci Mr a Mrs Bachar oedd hwn, felly mae'n rhaid ei bod hi wedi syrthio i gysgu wrth y bwrdd ar ôl bwyta. Ebychodd wrth gofio bod y BETEC wedi cipio Taid a'r llyfrgellydd.

'Osian, deffra! Deffra!'

Cododd Osian ei ben a chilagor ei lygaid yn gysglyd.

'Osian, cer allan i'r ardd i weld oes 'na ffrwythau neu lysiau yno,' meddai Mari. 'Mae gynnon ni ddiwrnod prysur o'n blaena, a rhaid i ni gael nerth o rywle.'

Roedd yn *rhaid* iddyn nhw achub Taid, a'r llyfrgellydd hefyd os yn bosib. Tra bu Osian yn yr ardd, dechreuodd Mari feddwl sut yn union roedden nhw am wneud hynny. Doedden nhw ddim yn debyg o allu ei gipio'n ôl – fyddai'r ddau ohonyn nhw ddim yn ddigon cryf i oresgyn swyddogion y BETEC ar eu pennau'u hunain. Ond roedd un peth yn gwbl sicr – byddai Taid a'r llyfrgellydd yn ymddangos ar *Saints and Sinners* yn yr Eglwys ddydd Sul, sef y diwrnod canlynol. Ar ôl hynny, byddai Taid a'r llyfrgellydd yn siŵr o gael eu caethiwo yn y chwarel. Dyna'u hunig siawns, felly – *Saints and Sinners* fory. Ond fedren nhw ddim jest cerdded i mewn i'r Eglwys a chipio Taid a'r llyfrgellydd. Na. Roedd yn rhaid iddyn nhw fod yn glyfrach, rhywsut. Ceisiodd feddwl am gynllun.

'Aw,' meddai wrth deimlo rhywbeth yn ei phigo o dan ei chrys. Edrychodd i lawr a gweld y papur newydd wedi'i sgrwnsio yno. Daeth y syniad iddi fel fflach. Wrth gwrs! Roedd holl hanes erchyll y BETEC yn y papur! Pe bai hi ond yn gallu dangos y gwirionedd hwnnw i'r gynulleidfa yn yr Eglwys, bydden nhw'n siŵr o droi yn erbyn y BETEC a byddai modd achub Taid, y llyfrgellydd, a phwy bynnag arall oedd ar brawf. Ond sut gallen nhw ddangos y papur newydd i bawb yno, heb ddangos eu hunain?

Daeth Osian yn ôl. 'Mae 'na gig yn hongian yn y sied, a dwi 'di dod â thomatos o'r ardd hefyd,' meddai. 'Mi ro i beth o'r cig 'ma i'r ci – mae'n rhaid ei fod o'n llwgu.'

'Ia, iawn,' atebodd Mari a'i meddwl ymhell i ffwrdd. 'Osian?' meddai ymhen sbel. 'Wyt ti'n gwybod sut medrwn ni gael rhwbath i ymddangos ar sgrin fawr, fel sy yn yr eglwys?'

'Yndw,' meddai Osian gan dorri'r cig yn ddarnau a'u bwydo i'r ci. 'Naethon ni ddysgu sut i neud pethau fel 'na yn yr ysgol pan o'n i'n fach. Mae angen camera i ddechrau, wedyn...'

Torrodd Mari ar ei draws. 'Osian, ti'n *genius*!' meddai. 'Ond lle yn y byd gawn ni afael ar gamera?'

'Yyymm... 'W'mbo,' atebodd Osian. 'Dwi'n meddwl bod y Bush Enterprises wedi cymryd camerâu pawb oddi arnyn nhw flynyddoedd yn ôl.'

'Daria, daria, daria,' meddai Mari.

'Roedd 'na rai yn y Llyfrgell,' meddai Osian, 'ac roedd modd i bobl eu benthyg nhw. Ond naethon nhw roi stop ar y cynllun ar ôl i rywun ddwyn un. Roedden nhw dan glo yn stafell y compiwtars wedyn.'

''Ydyn nhw'n dal yna, ti'n meddwl?' holodd Mari'n frwdfrydig.

''W'mbo...'

'Wel bydd raid i ni fynd i weld, ond rhaid i ni aros tan iddi nosi.

'Lapia hwn amdanat ti, Osh.' Roedd Mari wedi dod o hyd i ddau hijab du Mrs Bachar ac roedd hi wrthi'n gwisgo un. 'Fydd neb yn dy nabod di wedyn.'

Wedi gwisgo, a gafael yn y papur newydd hollbwysig, aeth y ddau allan o'r tyddyn, gan fwriadu gadael y ci ar ôl. Ond roedd hwnnw wedi gwthio'i hun drwy'r drws, ac yn eu dilyn.

'Aros fan hyn,' meddai Mari wrtho gan geisio'i ddenu'n ôl i'r gegin. 'Dos, wir.'

Ond aros wrth y drws wnaeth y ci. Er iddynt geisio ei atal, mynnodd y ci eu dilyn.

Roedd y dref yn edrych yn ddychrynllyd yn y tywyllwch, a'r golygfeydd a wynebai'r ddau wrth iddynt gerdded yn llechwraidd at y Llyfrgell yn ddigon i'w gwneud yn sâl. Bob hyn a hyn, clywsant sŵn rhywun yn wylo mewn anobaith. Erbyn hyn, roedd y garthffosiaeth yn flanced ddisymud, yn gorchuddio pob dim ac yn gymysg â'r pyllau o ddŵr glaw dan eu traed. Ceisiodd Mari anwybyddu'r cyfan a chanolbwyntio ar ei chynllun i achub Taid a'r llyfrgellydd.

Roedd y Llyfrgell mewn cyflwr llawer gwaeth erbyn hyn gan fod y glaw wedi difetha'r llyfrau ac wedi treiddio i gefn y sgrin hysbysebu. Bellach, roedd y stafell lle daeth o hyd i'r pentwr o bapurau newydd wedi'i llosgi'n ulw.

'Lle'r mae'r stafell gyfrifiaduron, Osh?' gofynnodd Mari wrth ddringo i mewn i ganol y dinistr.

'Fan hyn,' atebodd yntau, trwy roi ei ysgwydd yn erbyn y drws a malu clo.

Syllai Mari'n syfrdan ar yr olygfa o'i blaen. Roedd hi wedi gweld cyfrifiadur unwaith pan oedd hi'n fach, ond roedd pawb wedi cael gwared arnynt ar yr un adeg â'u setiau teledu pan aethant yn rhy ddrud i'w cynnal. Er nad oedd unrhyw un wedi'u defnyddio ers blynyddoedd, roedd tua ugain ohonynt yno, fel rhes o esgyrn deinosoriaid, yn dystiolaeth o oes a fu.

'Reit, y camera,' meddai Mari. 'Brysia, Osh!'

Aeth Osian a'r ci, oedd yn ei ddilyn i bob man, yn syth at gwpwrdd metal yng nghornel y stafell.

'Fan hyn roeddan nhw'n arfer bod,' meddai wrth geisio agor y cwpwrdd. Drwy nerth bôn braich, llwyddodd i'w agor ac yno, yng nghefn y cwpwrdd, roedd camera.

'Dyma fo!' meddai Osian yn orfoleddus. 'Gobeithio galla i gofio sut i ddefnyddio fo.'

Ond er iddo bwyso'r botwm cywir sawl gwaith, doedd dim ymateb.

'Tria fo eto,' meddai Mari.

'Waeth i mi heb – mae'r batri'n fflat,' meddai Osian. 'Mae o 'di bod yn y cwpwrdd 'ma am o leia ddeng mlynedd, ac mae'r batri'n hollol fflat. Bydd yn rhaid i ni roi tsiarj iddo fo.'

'Sut 'dan ni'n gneud hynny?'

'Rhaid ei blygio fo i soced drydan,' meddai Osian. 'Ond does 'na'm trydan,' ychwanegodd mewn rhwystredigaeth.

Yr eiliad honno, fflicrodd y sgrin hysbysebion ymlaen gan daflu golau glas, hunllefus i mewn i'r stafell gyfrifiaduron.

'Y sgrin!' meddai Mari. 'Mae 'na drydan yn mynd i'r sgrin, 'yn does?'

'Oes.'

'Mi fydd 'na soced yma felly, 'yn bydd?'

Rhuthrodd y ddau, a'r ci, i gyntedd y Llyfrgell.

'Mae'n rhaid bod 'na un fan hyn yn rhywle,' meddai Mari gan sganio'r wal sigledig.

'Dyma hi,' meddai Osian gan blygu i lawr.

Yno, yng nghanol pentwr o gerrig, roedd soced drydan. Roedd y plastig o'i hamgylch wedi malu, a neidiai sbarciau bach glas o un darn ohoni i'r llall.

''Di'r soced 'ma ddim yn edrych yn saff iawn,' meddai Osian.

'Tyff,' meddai Mari. 'Bydd rhaid inni drio. Rho'r plwg i mewn, Osh.'

Yn bryderus, gwthiodd Osian blwg y camera i mewn i'r soced a'i ollwng cyn gynted â phosib. Gafaelodd Mari yn y camera a phwyso'r botwm i'w droi ymlaen. Ymhen rhai eiliadau dechreuodd y camera wneud sŵn 'zzzzzzz' ac agor ei lens, fel pe bai'n ymestyn ei hun wedi noson hir o gwsg .

'Diolch byth – mae o'n gweithio! Ocê, Osian, ffilmia di'r papur tra dwi'n ei ddarllen o allan,' meddai Mari.

Ac yno, yng ngolau glas, hunllefus y sgrin hysbysebu, dyna wnaethon nhw.

'Reit, i ffwrdd â ni i'r eglwys!' meddai Mari wedi iddynt orffen. 'Bydd yn rhaid i ni ddod o hyd i ffordd i mewn iddi cyn iddi wawrio.'

Safai'r eglwys yn gadarn yn y tywyllwch, ac er i'r ddau gerdded o'i hamgylch dro ar ôl tro, methwyd â dod o hyd i ffordd i mewn. Roedd y drws ochr wedi'i gloi â chlo anferth, a'r drws blaen wedi'i folltio o'r tu mewn. Llwyddasai'r ffenestri lliw i oroesi'r daeargryn, ac ni theimlai'r ddau fod ganddynt hawl i'w malu. Byddai hynny'n tynnu sylw atyn nhw, beth bynnag.

'O!' meddai Mari'n rhwystredig. 'Be nawn ni? Be 'sa Taid yn neud?'

'Yyyym... ' meddai Osian

Ar y wal o'u blaen roedd crac enfawr yn rhedeg o'r top i'r gwaelod. Dilynodd Mari'r crac i fyny at y fan lle'r oedd yn cwrdd ag un o'r ffenestri, a sylwodd fod y ffenest uchaf yn gilagored! Cofiodd yn sydyn am y pili-pala a oedd wedi dod i mewn i'r eglwys y dydd Sul diwethaf, lle'r oedd Duw yn edrych i mewn trwy'r llenni.

'Osian! Mae 'na ffenast yn gorad – yli!'

Pe bai'n ofalus, gallai ddringo i fyny'r crac yn y wal a mynd i mewn trwy'r ffenest. Wedyn byddai modd iddi ddringo i lawr y llenni'r ochr arall, ac agor y bollt i adael Osian a'r ci i mewn.

'Helpa fi, Osian,' meddai'n gyffrous. 'Coda fi ar dy sgwyddau i mi allu cyrraedd y crac yn y wal.'

Roedd yr eglwys yn oer ar y tu mewn, a'r llenni'n llychlyd, gan wneud i Mari disian. Atseiniodd ei sŵn o amgylch yr adeilad gwag. Symudodd yn rhwydd ar hyd yr eil nes dod at y drws. Roedd y bollt yn anferth, a bu'n rhaid i Mari ddefnyddio pob owns o'i nerth i'w ysgwyd cyn i'r drws wichian yn llydan agored. Sleifiodd y ci ac Osian i mewn cyn iddo gau'r drws yn ddiymdrech.

'Lle maen nhw'n cadw'r teclyn dangos ffilmiau?' sibrydodd Mari.

Pwyntiodd Osian i fyny at y balconi, a dilynodd Mari a'r ci ef i fyny'r grisiau. Roedd rhan o'r eglwys wedi'i haddasu i fod yn ystafell daflunio, a dyna lle cedwid y cyfrifiadur a'r taflunydd. O'r fan hyn roedden nhw'n dangos *Saints and Sinners* bob wythnos.

Er bod yr eglwys yn dywyll ar y tu mewn, roedd y wawr yn torri y tu allan, a'r llafn o olau i'w weld yn treiddio trwy'r crac yn y llenni.

'Mi fydd y swyddogion yma cyn bo hir,' meddai Mari'n bryderus.

Trodd Osian y cyfrifiadur ymlaen, ac o'r diwedd fflachiodd y sgrin ac aeth Osian ati i gysylltu disg y camera.

'O na!' ebychodd. 'Maen nhw'n gofyn am *password*. Fedra i ddim defnyddio'r compiwtar hebddo fo.'

'Sut mae cael un, felly?'

'Fasa'n rhaid i mi wbod be'n union 'di'u *password* nhw. Dim ond nhw sy'n gwbod be 'di o.'

'Damia!' ebychodd Mari.

Yr eiliad honno, clywsant sŵn rhywun yn dod i mewn i'r eglwys. Wedi sbecian dros ffenest fewnol yr ystafell daflunio, gwelsant swyddog bach main yn dod trwy'r drws ochr gan fynd at y llwyfan a dechrau twtio pethau yno. Sythodd y gadair fawr aur a'r bwrdd wrth ei hochr. Aeth i nôl y meicroffon o ochr y llwyfan a'i osod ar y bwrdd, cyn troi'r uchelseinydd ymlaen. Wedi gorffen ar y llwyfan, aeth at y drws blaen ac agor y bollt enfawr ar y drws. Clywsant sŵn ei draed ar y grisiau oedd yn arwain at y balconi a'r stafell daflunio.

Edrychodd Mari ac Osian ar ei gilydd. Mewn fflach, roedd Mari wedi meddwl am gynllun.

'Osian, rhaid i ni guddio y tu ôl i'r drws. Pan ddaw'r swyddog i mewn, rhaid i ti ei ddal ac mi wnawn ni ei orfodi fo i roi'r *password* inni.'

Prin bod Mari wedi gorffen siarad cyn i ddrws y stafell agor. Ar amrantiad, cipiodd Osian y swyddog, gan ddal ei freichiau y tu ôl i'w gefn. Chwyrnai'r ci arno. Gwingai'r swyddog, ond ni lwyddodd i ddianc rhag gafael cadarn Osian.

'Deudwch wrthan ni be ydi'r *password*!' gwaeddodd Mari.

'Dwi ddim am ddeutha chi,' meddai'r swyddog mewn llais main a oedd yn gweddu i'w faint.

Erbyn hyn roedd y gynulleidfa wedi dechrau llenwi'r eglwys, heb wybod dim am y ddrama a oedd yn datblygu yn y stafell daflunio uwch eu pennau.

'Deudwch!' meddai Mari.

Ond gwrthod yn bendant wnaeth y swyddog. Doedd Mari ddim wedi disgwyl iddo fod mor ystyfnig.

Ymhell oddi tanynt, dechreuodd y gynulleidfa siglo'u breichiau yn yr awyr.

'Ylwch. Dyma'r sefyllfa. Mae'r BETEC wedi cipio Taid ac mi fydd o'n ymddangos ar *Saints and Sinners* heddiw. 'Di o ddim 'di neud unrhyw beth o'i le, a 'dan ni jest yn trio'i achub o. Wnewch chi plis ein helpu ni?'

'Na 'na i, wir,' meddai'r swyddog yn ffroenuchel. 'Rheolau ydi rheolau, a dwi ddim i fod datgelu'r *password* i neb. Does a wnelo teilyngdod eich achos ddim â'r mater.'

'Ydach chi'n gwybod i bwy dach chi'n gweithio?' gofynnodd Mari wedyn. 'Sbïwch ar y papur newydd yma,' meddai, gan ei ddal o flaen trwyn y swyddog. 'Sbïwch faint o ddifrod a dioddefaint mae'r BETEC wedi'i achosi.'

Gwrthododd y swyddog edrych ar y papur. 'Does a wnelo BETEC ddim byd â fi, hyd yn oed os *ydyn* nhw wedi achosi difrod a dioddefaint. Swyddog ydw i, yn gwneud fy ngwaith drwy ddilyn y rheolau, a dyna dwi'n bwriadu'i wneud. 'Dach chi ddim yn cael y *password*.'

Rhoddodd Mari gynnig ar dac arall. 'Cymro ydach chi?' holodd.

'Ia,' atebodd y swyddog, fel petai ganddo gywilydd o'r peth.

'Fedrwch chi ddim gweld bod y BETEC wedi dwyn ein rhyddid ni fel Cymry oddi arnan ni? Eu bod nhw'n rym imperialaidd?'

Doedd Mari ddim cweit yn deall ystyr y gair, ond roedd hi wedi clywed ei thaid yn ei ddefnyddio'n aml a theimlai fod 'na rywbeth grymus yn ei gylch.

'Hogan fach,' meddai'r swyddog yn bwysig i gyd. 'Dach chi ddim yn deall, mae'n amlwg. Fel hyn mae'r byd yn gweithredu erbyn hyn. Ac os ydan ni'r Cymry am fod yn rhan ohono, mae'n rhaid inni weithio hefo'r grymoedd yma rydych chi'n sôn amdanyn nhw, nid brwydro yn eu herbyn. Dyna sut mae symud ymlaen, dyna ydi *progress*.' Ynganodd y gair Saesneg fel petai'n falch ohono. 'Dydw i ddim am i bobol fach ddi-nod fel chi a'ch Taid, a'ch egwyddorion rhyfedd, atal ein *progress* ni yn y byd.'

Gwylltiodd Mari. Roedd hyn fel taro'i phen yn erbyn wal frics. I wneud pethau'n waeth, roedd y Parchedig Michael Angelo Maximus bron â gorffen ei araith yn yr eglwys. Byddai'n amser darlledu *Saint and Sinners* yn y munud, ac os na fyddai'r ffilm yn ymddangos ar y sgrin byddai rhywun yn dod i'r stafell daflunio i weld beth oedd y broblem.

'Reit. Dwi ddim isho gneud hyn,' meddai Mari, 'ond dach chi ddim wedi rhoi llawer o ddewis i ni. Os na rowch chi'r *password* inni, bydd rhaid i Osian eich taflu chi dros y balconi.'

'Fasech chi byth yn meiddio,' meddai'r swyddog. 'Mi gewch eich dal.'

'Wel, rydan ni'n mynd i gael ein dal beth bynnag,' fflachiodd Mari'n ôl. 'Does gynnon ni ddim i'w golli. Osian…' meddai gan symud at ddrws y stafell. Cododd Osian y swyddog oddi ar y llawr.

'Na, peidiwch!' gwichiodd.

Aeth Mari ati i agor y drws a chariodd Osian y swyddog tuag ato. Dechreuodd hwnnw sgrechian wrth i Mari gilagor y drws.

'Orghggh ocê. Mi ddeuda i.'

'Be 'di o 'ta?' holodd Mari.

'Ydyfodol1,' atebodd yntau'n dawel.

'*Ladies and Gentlemen... Saints and Sinners!*' Treiddiodd llais yr uchelseinydd trwy waliau gwrthsain y stafell daflunio.

'O Iesgob,' meddai Mari. 'Osian, tyrd yma i deipio'r *password*. Brysia, wir!'

Taflodd Osian y swyddog yn swp i gornel y stafell, a rhuthrodd y ci ato gan chwyrnu. Eisteddodd Osian wrth y cyfrifiadur a theipio'r cyfrinair.

'*Ladies and Gentlemen.... Saints and Sinners!*' ailadroddodd y llais. Fflachiodd eicon '*Saints and Sinners – This week*' ar y sgrin. '*Saints and Sinners!*' meddai'r uchelseinydd eto, yn bigog y tro yma.

'Pwysa'r botwm,' meddai Mari, 'neu mi fyddan nhw ar ein holau ni!'

Cliciodd Osian ddwywaith ar yr eicon. Fflachiodd y sgrin, a chlywyd cerddoriaeth yn cael ei chwarae'n uchel a llais yn bloeddio, '*Saaaaaints and Siiiinners!... Sponsored by Bush Enterprises Transnational Energy Corp.*'

Gollyngodd Mari ei hanadl mewn rhyddhad. Roedden nhw'n saff am ychydig o leiaf.

'Reit, Osian. Rho'r ddisg i mewn,' meddai.

Wrth i Osian wneud hyn, gwyliai Mari'r sgrin. Gwelai'r delweddau cam o stryd yn y Blaenau, a'r camera'n troi i gyfeiriad eu stryd nhw cyn dilyn Nest yn cario'r pecyn bwyd i'r mynydd a'i osod ar lawr. Yna, gwelodd ei thaid yn cerdded i lawr o'r mynydd, yn edrych yn flinedig, ond eto'n dal i chwibanu. Wrth i'w wyneb clên agosáu, taflodd rhywun sach dros ei ben a'i glymu.

Daeth dagrau i lygaid Mari, ac ochneidiodd. Roedd y delweddau nesa'n dangos y lloches yn yr ardd. Am eiliad, dangoswyd wyneb blinedig Nest wrth iddi droi at y camera, cyn i rywun daflu sach drosti hithau a'i chlymu.

Prin y gwelodd Mari'r BETEC yn cipio'r llyfrgellydd gan fod y dagrau'n llifo o'i llygaid. Roedden nhw wedi cipio Nest hefyd – Nest, nad oedd wedi gwneud dim ond ceisio edrych ar ôl pawb. Doedd hi ddim wedi pechu yn erbyn y BETEC. Teimlai Mari'n euog wrth iddi sylweddoli mai hi, mae'n debyg, oedd i fod ymddangos ar *Saints and Sinners* heddiw, nid Nest. Ond gan ei bod hi wedi ffoi, roedden nhw wedi cipio Nest yn ei lle. Roedd Nest druan yn dioddef rŵan o'i herwydd hi.

'Wyt ti isho i fi chwarae'r ffilm, Mari, ta be?' holodd Osian wrth ei hochr.

Neidiodd Mari – roedd hi bron wedi anghofio pam roedd hi yno. Wel, gan mai hi oedd wedi cael pawb i'r fath helynt, byddai'n rhaid iddi wneud ei gorau i'w rhyddhau. Petaen nhw'n dangos y ffilm o'r papur newydd rŵan, byddai'r gynulleidfa'n siŵr o droi yn erbyn y BETEC a châi Taid, Nest a'r llyfrgellydd eu rhyddhau.

Erbyn hyn roedd y tri ohonynt hwythau ar y llwyfan. Safai Taid yn dal ac yn urddasol gan syllu'n syth o'i flaen. Efallai ei fod yn anobeithio, ond doedd o ddim yn mynd i ddangos hynny i'r Eglwys nac i'r BETEC. Edrychai Nest fel petai'n teimlo cywilydd mawr. Prin fod gan y llyfrgellydd bresenoldeb o gwbl. Roedd ei llygaid yn wag a'i henaid wedi ymadael amser maith yn ôl.

'*Ladies and gentlemen...*' gwaeddai'r llais dros yr uchelseinydd. '*You have seen the sinners. Now we put them before you, their judges!*'

Pwysodd Osian 'PLAY' ar y sgrin o'i flaen.

Fflicrodd y sgrin fawr. '*SINNERS...*' meddai'r llais. '*Have you anything to say...?*'

Edrychai Taid fel petai am ddweud rhywbeth, ond cafodd ei atal wrth i furmur uchel ddod o'r gynulleidfa. Bu distawrwydd wedyn wrth i'r eglwys droi'n lliw glas hunllefus a thudalen flaen y papur newydd yn ymddangos ar y sgrin fawr. Trodd Taid a Nest ar eu hunion wrth glywed llais Mari'n darllen y geiriau'n eglur ac yn gadarn.

'*This,*' meddai, '*is your last opportunity to read the truth about the Bush Enterprises empire. For the sake of every one of us, please store this truth in your memory, for it will never see the light of day again. The Bush Enterprises Transnational Energy Corp. has raped, pillaged and destroyed our world – it has done this in its quest for oil.*'

Distawodd yr Eglwys gyfan wrth i'r gynulleidfa droi eu pennau i ddarllen y geiriau gyda Mari. Roedd hyd yn oed y swyddogion wedi'u rhewi yn eu hunfan.

'Mae hyn yn gweithio!' meddyliodd Mari. Edrychodd ar ei thaid – roedd wedi troi ac yn edrych i fyny at y stafell daflunio. Roedd yr olwg flinedig wedi diflannu oddi ar ei wyneb, ac edrychai'n llawn cyffro oherwydd bod ei wyres wedi dilyn ei esiampl, ac wedi gwrthryfela yn erbyn y system. Gwenai Mari arno er nad oedd hi'n siŵr a oedd o'n gallu ei gweld. Am y tro cyntaf ers amser hir iawn, teimlai Mari y gallai pethau lwyddo.

'Wat is fis bullshit?' Daeth llais Essexaidd o'r gynulleidfa. 'Ai didn cam ear to wotch fis.'

'Yea,' meddai un arall. 'We cam ear for Saints n Sinners. Fis is bawring.'

'Yea, turn it awff,' meddai un arall.

'Be maen nhw'n ddeud, Osh?' holodd Mari.

'Dim syniad,' meddai Osian.

'Agora'r drws inni gael clywed yn iawn,' gorchmynnodd Mari.

Llifodd siant uchel o 'Turn it awff, turn it awff' a 'We want Saints n Sinners, we want Saints n Sinners' fel tsunami i mewn i'r stafell. Edrychodd Mari ac Osian mewn penbleth ar ei gilydd, ac yna i gyfeiriad y llwyfan. Gwelsant swyddogion y BETEC yn deffro o'u syfrdandod, yn gafael yn Taid, Nest a'r llyfrgellydd, ac yn eu llusgo o'r llwyfan. Gwelsant swyddogion yr Eglwys – y rhai a aeth ar ôl Osian a'r pili-pala'r wythnos cynt – yn codi ar eu traed ac yn ceisio gwthio'u ffordd ar hyd yr eil.

'Mari, maen nhw ar eu ffordd yma,' meddai Osian. 'Be nawn ni?'

Teimlai Mari'n wag a siomedig wrth sylweddoli bod eu cynllun beiddgar wedi methu. Ni allai symud.

'Mi ddywedais i, yndô?' meddai llais rhwysgfawr y swyddog o'r gornel. 'Does dim pwynt ymladd yn erbyn y drefn. *Progress* yw'r hyn sydd ei angen arnom ni, ac felly mae'n rhaid dilyn y drefn,' ychwanegodd.

Edrychodd Mari arno a golwg wag yn ei llygaid. Roedd

ei lais fel llais robot yn ailadrodd geiriau heb unrhyw ystyr iddynt. Crychai ei thalcen, gan ddal i edrych arno'n ddiddeall. Agorodd yntau ei geg, fel petai am ailgychwyn arni.

'ARHGHGH!' bloeddiodd Mari'n sydyn. Roedd fel petai geiriau'r swyddog wedi tanio bom tu mewn iddi. Edrychodd yn ddirmygus tuag ato, ac wedyn tuag at y drws. Safodd ar ei thraed. 'Rhed, Osian! Rhed!' gwaeddodd nerth ei phen.

Pennod 15

Yn uchel ar y mynydd roedd ysbrydion

Cyrcydai Mari ac Osian a'r ci y tu mewn i'r garn ar ben y Manod Mawr. Ar ôl iddyn nhw ddianc o'r eglwys, roeddent wedi rhuthro yr holl ffordd i fyny'r mynydd ac i'r copa. Doedden nhw ddim wedi symud o'u hunfan ers oriau, rhag ofn bod swyddogion yr Eglwys neu'r BETEC wedi'u dilyn ac yn chwilota'r mynydd amdanynt.

Chawson nhw ddim amser i feddwl yn ystod y dydd gan eu bod wedi treulio pob eiliad yn gwylio'r ochrau mynydd o'u cuddfan am unrhyw arwydd bod rhywun ar eu gwarthaf. Ond, erbyn hyn, roedd wedi dechrau nosi a gallent ymlacio fymryn. Roedd yr haul wedi machlud dros y Moelwyn, y lleuad wedi codi dros y Migneint, ac ambell seren wedi dod i'r golwg yn yr awyr las oedd yn dechrau troi'n lliw inc.

Eisteddai Mari'n ôl yn erbyn ochr y garn gan ochneidio, wrth feddwl am Taid, y llyfrgellydd, a rŵan Nest yn nwylo'r BETEC. Ac roedd Osian a hithau'n dal yn ffoaduriaid yn cuddio ar ben mynydd, heb fwyd na chysgod. Roedd ei chynllun wedi methu'n druenus. Doedd y rhan fwyaf o'r gynulleidfa ddim am glywed y gwirionedd, ac roedd hynny'n torri calon Mari. 'Pam?' gofynnai iddi ei hun. 'Pam nad ydyn nhw isho gwybod y gwir? Pam?'

Doedd hi ddim yn siŵr beth i'w wneud bellach, ac

roedd wedi cael llond bol ar fod ar ffo. 'Dyna'r unig beth dwi 'di neud ers amser hir,' meddyliodd. 'Ffoi oddi wrth Dad yn Ysbyty Ifan, ffoi oddi wrth yr hogiau a'r genod cas yn y parc, ffoi wrth i'r tŷ ddymchwel, ffoi rhag y BETEC a rŵan ffoi rhag yr Eglwys. Dydw i ddim isho ffoi rhagor.'

Ond yn sicr doedd y dewis arall ddim yn dderbyniol iddi chwaith – troi olwyn fel caethwas ynni i'r BETEC. Edrychodd tua'r lleuad a holi, 'Sgen ti ateb imi?'

'Ateb i be?' meddai Osian.

Doedd Mari ddim wedi sylweddoli ei bod wedi gofyn ei chwestiwn yn uchel. 'Dim byd, Osh, paid â phoeni,' meddai.

'Be sy'n mynd i ddigwydd inni rŵan?' gofynnodd yntau.

'Dwn i'm wir, Osh. Be am i ni drio cysgu, a meddwl am hynny yn y bora.'

'Ocê,' meddai yntau gan glosio at y ci i gadw'n gynnes.

Ymhen ychydig funudau, roedd y ddau yn chwyrnu'n braf. Ond doedd Mari ddim yn gallu cysgu. Eisteddai yno'n syllu ar y lleuad, a'r diffyg cwsg a bwyd yn gwneud iddi deimlo'n rhyfedd.

Yna, gwelai olau'r lleuad yn dechrau ymestyn tuag ati. Wrth iddo agosáu, gwelodd ffurf dynes ar flaen y pelydryn, a'r pelydryn hwnnw'n ymestyn â phob cam a gymerai. Wrth i'r ddynes gyrraedd at Mari, gwenodd. Cyn i Mari wenu'n ôl, diflannodd y ddynes.

Edrychodd Mari ar y llwybyr lliw arian oedd yn ymestyn oddi wrthi i fyny tuag at y lleuad. Safodd ar ei thraed. Cymerodd gipolwg ar Osian a'r ci – roedd y ddau'n dal i chwyrnu, felly cododd a dechrau cerdded ar hyd y llwybyr. Roedd yn eithriadol o hawdd ei ddringo, a wnaeth hi ddim edrych yn ôl o gwbl, dim ond edrych yn syth o'i blaen lle gwelai'r lleuad yn aros amdani.

Yn sydyn, teimlai grafangau'n gafael yn ei chrys a'i chodi oddi ar y llwybyr, wrth i eryr enfawr ei chipio. Teimlai'r aer a gâi ei wasgu o dan ei adenydd yn ei tharo yn ei hwyneb wrth iddo'i chodi'n uwch ac yn uwch. Edrychodd i lawr a gweld bod y llwybyr arian yn pylu. Teimlai'n gwbwl effro erbyn hyn. Gallai weld y ddaear yn ei cyfanrwydd, a'r llwybyr arian yn ymestyn oddi wrthi, trwy'r düwch, tuag at y lleuad. Gallai weld yr haul yr ochr arall i'r ddaear a'i wres yn cynhesu'i hwyneb. Cyn pen dim gallai weld yr haul, y lleuad, a'r ddaear yn eu cyfanrwydd – roedd y ddaear yn troi yn ei hunfan, y lleuad yn troi o amgylch y ddaear, a'r ddwy ohonynt yn troi o amgylch yr haul. Roedd y profiad fel gwylio dawns berffaith.

Ymlaciodd Mari'n llwyr. Roedd mor braf i fyny fan hyn. Doedd ganddi ddim i boeni amdano, a phopeth mor bell oddi tani. Gallai aros i fyny yma, yn y nefoedd hon, am byth.

Ond wedi iddi ymlacio dechreuodd atgofion am y ddaear lifo i'w meddwl a theimlai hiraeth eithriadol – y gwair gwyrdd yn Ysbyty Ifan yn cosi'i hwyneb pan orweddai ynddo; y pili-pala gwyn yn erbyn yr awyr las; arogl hyfryd y gwyddfid a dyfai y tu allan i'w llofft; cân yr ehedydd ar y mynydd y diwrnod hwnnw pan gladdwyd ei mam, a blas y glaw yn ei cheg wrth iddi ffoi i fyny'r mynydd gyda Taid.

Teimlai ei chalon yn curo'n galed yn ei bron. Wrth i'r

eryr ei chario ymhellach o'i chartref, curai ei chalon yn galetach. Teimlai'r curiadau'n ymestyn o'i chorff tuag at y ddaear, ac yn ôl at gopa'r Manod Mawr lle'r oedd Osian a'r ci yn cysgu'n braf. Roedd ei chorff cyfan yn brifo wrth iddi ysu am ei chartref.

'Dwi ddim i fod i fyny fan hyn,' meddai wrth yr eryr. 'Mi ddylwn i fod i lawr yn fan'na, ar y ddaear. Dwi isho mynd yn ôl.'

Edrychodd yr eryr arni am eiliad cyn dechrau troelli i lawr am y ddaear. Rhuthrodd y gwynt i wyneb Mari wrth iddynt ddisgyn yn gyflym. Plymiodd yr eryr a Mari i dywyllwch y nos ar y ddaear. Er nad oedd Mari'n gallu gweld beth oedd o'i blaen, teimlai'n fwy a mwy balch ei bod yn mynd yn ôl. Roedd arni hi angen ei chartref a'i chynefin, a rŵan roedd arnyn nhw eu hangen hithau hefyd.

'Dyna ydi'r ateb,' meddyliodd. 'Dwi ddim i fod i ddianc, nac ildio. Mae'n rhaid i mi sefyll yn gadarn a gwarchod yr hyn sy'n bwysig imi.'

Glaniodd yr eryr, a Mari ar ei gefn, yn ôl yn y carn ar ben y Manod Mawr. Arhosodd yr eryr am eiliad cyn hedfan i ffwrdd drachefn. Edrychodd Mari i fyny at y lleuad. 'Diolch,' meddai'n ddistaw.

Trodd i edrych ar Osian a'r ci – roedd y ddau'n dal i chwyrnu'n braf. Oedd hi wedi bod yn breuddwydio eto? Eisteddodd Mari yn eu hymyl, a meddwl am yr hyn roedd hi wedi'i ddysgu. Teimlai'n gryf erbyn hyn fod angen iddi gael gwared o'r BETEC o'r Blaenau. Ond sut? Dyna oedd y cwestiwn...

Eisteddodd am amser hir ar ben y mynydd yn y

tywyllwch, gan feddwl am gynllun i achub pawb a phopeth roedd hi'n eu caru.

Ymhen hir a hwyr, cododd ar ei thraed ac ysgwyd Osian.

'Osian, deffra,' meddai. 'Tyrd, mae'n rhaid inni chwilio am help.'

'Help ar gyfer be?' gofynnodd Osian yn gysglyd.

'I gael gwared â'r BETEC,' atebodd hithau.

Pennod 16

Fesul un o'r gwyll y daethant

Rhuthrodd y ddau i lawr y mynydd a'r ci wrth eu sodlau.

'Pwy... sydd am... ein helpu... ni, Mari?' holodd Osian gan frwydro am anadl.

'Dwi'm yn gwbod, Osian,' atebodd hithau. 'Awn ni i dŷ Mr a Mrs Bachar inni gael llonydd i feddwl.'

'Aros fan hyn,' sibrydodd wrth Osian a nhwythau'n agosáu at y tyddyn. Doedd neb yn gwybod eu bod wedi bod yno'r noson cynt ond doedd hi ddim am fentro gormod. Byddai'n ofnadwy pe bai rhywun yn cuddio yno ac yn aros ei gyfle i'w cipio. Gan ddal ei gwynt wrth wrando am sŵn unrhyw ddihiryn aeth yn ei blaen yn betrus. Cyrhaeddodd y giât wrth y tŷ a swatio yno cyn codi'i phen a sganio'r iard trwy'r tywyllwch.

Doedd dim golwg o neb yno. Cododd Mari ar ei thraed a dyna pryd y clywodd sŵn anadlu. Daliodd ei gwynt. 'O na! Dyma ni,' meddyliodd, wrth deimlo rhywbeth yn gwthio heibio iddi. Rhoddodd ochenaid o ryddhad. Y ci oedd wedi'i dilyn ac wedi adnabod ei gartref. Gwthiodd hwnnw ddrws y tŷ yn agored hefo'i drwyn. Arhosodd Mari am eiliad, ei chalon yn dal yn ei cheg. Ni ddaeth sŵn o'r tŷ, felly trodd ac ystumio ar Osian i'w ddilyn.

Roedd y tŷ'n union fel roeddent wedi'i adael. Eisteddodd y ddau wrth y bwrdd yn ysu am fwyd, ac yn gwybod nad oedd yr un briwsionyn ar gael.

Yn sydyn daeth cnoc ar y drws. Rhewodd y ddau gan edrych ar ei gilydd ac wedyn tuag at y drws. Chwyrnodd y ci wrth i rywun guro eto. Gallai Mari deimlo'i chalon yn curo'n wyllt. Gwichiodd y drws wrth iddo agor yn ara bach a daeth baril gwn hela i mewn i'r gegin. Ebychodd Mari ac Osian wrth weld llaw yn gafael yn y gwn. 'Dyma ni,' meddyliodd Mari, 'dyma'r diwedd.'

'O, fan hyn dach chi,' meddai llais cyfarwydd trwy fwg ei sigarét. Ochneidiodd y ddau mewn rhyddhad. 'Dwi 'di bod yn chwilio amdanoch chi trwy'r dydd,' meddai'r dyn. 'Winston 'di'r enw. Dach chi'n 'y nghofio fi, yndach? Fi sy'n gwarchod yr *allotments*?'

Nodiodd y ddau arno, wedi'u syfrdanu.

'Ga i ista lawr, caf?' meddai gan estyn cadair wrth y bwrdd.

Eisteddodd a gosod ei wn i bwyso ar y wal. Edrychodd o'r naill i'r llall.

'Wel?' meddai. 'Dach chi'n barod?'

'Barod am be?' holodd Mari'n bryderus.

'Y chwyldro, wrth gwrs,' atebodd yntau, 'i gael gwared ar y BETEC. Y chi sy 'di cychwyn petha,' meddai Winston, 'yn yr eglwys, bore 'ma.'

Methai Mari â choelio'i eiriau.

'Ond mi waeddodd pawb arnon ni i stopio'r ffilm,' meddai. 'Roedd pawb yn yr Eglwys isho gweld *Saints and Sinners.*'

'Nid pawb, Mari, o bell ffordd,' meddai Winston. 'Mi lwyddodd y ddau ohonoch chi i godi calonna llawer iawn ohonan ni a rhoi gobaith inni. Rydan ni bellach 'di gneud addewid i ni'n hunain i barhau'r hyn rydach chi 'di'i gychwyn.'

'O,' meddai Mari, 'a pwy ydi *ni*?'

'Wel y ni, yndê,' meddai Winston. 'Pawb sy 'di cal llond bol ar y bywyd hurt 'ma; 'di cael llond bol o beidio gneud unrhyw beth rhag ofn iddyn nhw gael eu cipio a'u cosbi; gorfod sathru ar gyd-ddyn i oroesi. Pawb sy'n gorfod mynd heb ddim, achos does 'na'm digon i bawb, achos bod yr ychydig wedi cymryd mwy na'u siâr. Pawb sy 'di cael llond bol ar y BETEC. Dyna pwy ydan *ni*.'

'Oes 'na griw mawr ohonoch chi?' holodd Mari.

'Dwi'm yn gwybod,' meddai Winston. 'Gawn ni weld heno.'

'Heno?'

'Ia.'Dan ni 'di trefnu cyfarfod heno, i gael trafod y cam nesa. Gawn ni weld faint o bobol fydd yno.'

'Reit, brwydyr amdani, felly!' meddai Mari.

'Dyna pam dwi 'di bod yn chwilio amdanoch chi drwy'r dydd,' meddai Winston.

Teimlai Mari ryddhad nad oedd hi ac Osian ar eu pen eu hunain bellach. Cytunodd yn frwd i fynychu'r cyfarfod.

Roedd y daith trwy'r dref yn un llawn pryder. Er ei bod yn dywyll roedd yn rhaid i Mari ac Osian orchuddio'u hwynebau â hijab Mrs Bachar unwaith eto. Gallai swyddogion y BETEC neu'r Eglwys fod yn eu gwylio, ac yn aros i'w cipio. Winston âi gyntaf, ei wn wrth ei ochr, gyda Mari ac Osian ar ei ôl a'r ci'n dilyn, fel petai wedi synhwyro bod angen gwarchod ei feistri mabwysiedig. Doedd gan Mari ddim clem lle'r oedden nhw'n mynd. Dibynnai'n llwyr ar Winston i'w harwain i'r cyfarfod.

'Dyma ni 'di cyrraedd,' meddai Winston o'r diwedd. 'Cewch chi dynnu'r gorchudd oddi ar eich wynebau rŵan.'

Edrychodd Mari o'i chwmpas mewn syndod. Roedden nhw'n sefyll yn yr un llannerch yn y goedwig ag a oedd wedi ymddangos yn ei breuddwyd y noson y cysgodd yng ngharafán Taid. Yr union fan lle cyfarfu â'r hydd. Roedd y lle'n edrych yn wahanol yn y tywyllwch, wrth gwrs, ond doedd dim modd ei gamgymryd.

'Dewch i ista,' meddai rhyw ddynes a eisteddai ym mhen draw'r llannerch. Roedd y llais o'r tywyllwch yn gyfarwydd. Ymddangosodd Angharad, ffrind Nest, yr un a fu'n crio wrth ei thŷ y bore ar ôl y daeargryn. Gwenodd ar y ddau ohonynt.

'Dewch i ista,' meddai eto. 'Dwi ar fin cynnau tân.'

O fewn dim llarpiai fflamau ifanc y tân y tywyllwch a sŵn clecian y brigau mân yn creu awyrgylch gartrefol. Eisteddodd Mari ac Osian ar foncyff oedd wedi'i osod fel sêt i'w wynebu.

'Jest isho aros i bawb gyrraedd 'ŵan,' meddai Angharad gan eistedd wrth eu hymyl.

Bob hyn a hyn, deuai ambell unigolyn neu bâr i'r golwg ar gyrion y llannerch. Wrth iddynt gyrraedd âi Winston i'w cyfarch a'u harwain at y tân, lle caent groeso gan Angharad.

Cerddai Winston yn ôl ac ymlaen yn nerfus ar y cyrion gan edrych tua'r gwyll a smygu'n ddi-baid.

Wrth i ragor gyrraedd dechreuodd rhai sgwrsio ymysg ei gilydd.

'Nedw! Ers tro!'

'Sut mae Esi?'

'Dwi ddim yn gwybod, Wil. Cafodd ei chipio yn y farchnad fis diwetha. Dwi ddim 'di'i gweld hi ers hynny. A Gwenan chdi?'

'Dim cystal wedi'r pwl diwetha o *typhoid*, prin mae hi'n codi o'r gwely.'

'Mae hynny'n galed arnach chdi mae'n siŵr, Nedw, a chdithau'n ceisio cynnal y fferm.'

Sylwodd Mari fod y ddau'n gwisgo hen *overalls* a welis tyllog. Roedd dwylo a wynebau'r ddau'n sych ac yn grychau i gyd – effaith y gwynt, y glaw a'r haul mae'n siŵr.

'*Hi guys,*' meddai newydd-ddyfodiad arall wrth fynd at griw oedd wedi hel mewn un rhan o'r cylch.

'Sut mae?' atebodd y lleill.

Trodd Mari i edrych arnynt. Eisteddai rhai ar y boncyffion, ac eraill ar lawr a'u coesau wedi croesi. Lled-orweddai ambell un arall gan orffwys ar liniau'r rhai oedd yn eistedd. Gwisgai'r criw ddillad lliwgar a'r lliwiau hynny wedi pylu ers tro byd. Roedd pobol debyg i'r rhain yn Ysbyty Ifan hefyd. Saeson, wedi symud i Gymru ers blynyddoedd, ers cyn i'r cyflenwad o olew ddod i ben, er mwyn mwynhau'r awyr iach a'r bywyd da. Roedden nhw wedi dysgu Cymraeg ac yn mynnu ei siarad â'i gilydd er mwyn ei hymarfer. Dros amser roeddent wedi datblygu rhyw fratiaith unigryw. Er bod eu gwreiddiau yn anghyfarwydd iddi roedd Mari'n hoff iawn ohonyn nhw. Roedden nhw bob amser mor frwdfrydig am bopeth.

'O's rhywun wedi clowed o Jake?' gofynnodd un o'r merched i'r gweddill. 'Dydw i dim wedi gweld o ers lawer diwrnod. Dwi'n ofni ei bod wedi marw yn y daeargryn.' Edrychodd y gweddill arni'n llawn pryder.

Trodd Mari i wrando ar sgwrs arall.

'Pam 'dan ni goro dod yma, Arwyn?'

'Ia Arwyn. Pam?'

'Y BETEC yndê'r drong.'

'O, mai god, be di'r holl coed 'ma?'

'God, ma'n mega tywyll yma.'

'Dwi'm yn *give a shit* am y BETEC eniwes.'

'Ti'n gallu ddim yn gif a shit chos sgen ti ddim teulu 'na.'

'Ia. Paid â bod mor gas. Mae gynnon nhw dad Arwyn, 'sti. Ers *ages* ac *ages*.'

'Ma cysyns fi gyd yna.'

'A Mam fi.'

'Gynnon nhw brawd fi hefyd.'

'Ia ac un fi.'

'O leia nath cysyns chdi ddim marw yn yr yrthcwec. Nath cysyn Mam fi marw.'

'Lle 'dan ni eniwes?'

Sylwodd Mari ar griw o hogiau a genod ifanc yn byrlymu tuag ati – y rhai roedd hi wedi dod ar eu traws yn y Parc. Ar y blaen, yn arwain, roedd Arwyn, yr hogyn a ddioddefodd ddwrn Mari yn ei geilliau.

Tyrrodd mwy a mwy o bobol i'r llannerch i eistedd

yn gylch o gwmpas y tân. Adwaenai Mari ambell un – wedi eu cyfarfod yng nghynhebrwng ei mam, ac ar y stryd wedi'r daeargryn. Roedd eraill yn ddiarth iddi – teuluoedd ifanc, y rhieni wedi dod â'u plant gyda nhw gan ei bod yn rhy beryglus i'w gadael adra; hen stêjars, y math a gofiai'r chwarel fel roedd hi erstalwm, ond, a oedd wedi treulio'r rhan fwyaf o'u bywydau yn y dafarn; cyplau canol oed parchus a fyddai'n mynychu'r capel pe bai 'na un; teips creadigol, y math fyddai'n canu'r gitâr trwy'r nos i gynnal hwyl.

Roedd rhai perchnogion siopau a busnesau'r dref wedi cyrraedd hefyd ac ambell berson mewn siwt a oedd yn awyddus i siarad hefo pawb, ond doedd neb yn rhy awyddus i siarad â hwy. Caent eu galw'n wleidyddion ar un adeg a byddai ganddynt gryn dipyn o bŵer. Wrth edrych ymlaen at y cyfle a gynigid gan y chwyldro roedden nhw'n llawn cyffro.

Safai grwpiau bach aflonydd ar gyrion y dyrfa. 'Smackheads' y galwodd Osian nhw pan welson nhw'r criw gwelw ar stryd Blaenau.

Methai â chredu fod yr holl bobol yma wedi ymgasglu yn dilyn ei hanogaeth hi ac Osian yn yr eglwys, er gwaetha'r peryglon oedd yn eu hwynebu. Er bod pawb yn flinedig iawn, roedd rhyw gyffro, rhyw obaith i'w deimlo, ymysg y dorf. Er ei bod yn llwglyd ac wedi blino, teimlai Mari'n llawn bywyd wrth weld bod posibilrwydd gwaredu'r Blaenau o'r BETEC.

'Gyfeillion.'

Distawodd y sgyrsiau o amgylch y tân a throdd pawb

i wynebu Winston a safai ar ben bonyn coeden yn agos at Mari ac Osian. Wedi gweld bod gymaint o bobol wedi mynychu'r cyfarfod, edrychai'n fodlon.

'Gyfeillion. Da gweld cymaint ohonoch chi yma,' meddai.

Rhyfedd oedd clywed Winston yn siarad yn ffurfiol.

'Rydan ni wedi galw'r cyfarfod wedi i'r ddau yma,' gwnaeth ystum tuag at Mari ac Osian, 'dynnu ein sylw at ein hargyfwng presennol. Dangosodd y ddau ein bod ni wedi colli'r ffordd, a bod y BETEC wedi cymryd yr awenau oddi arnon ni. Maen nhw wedi bod yn rheoli'n bywydau am gyfnod rhy hir o lawer, ac wedi gwneud smonach o hynny hefyd, os ca i ddeud.'

'Clywch, clywch,' gwaeddodd rhywun o'r dorf. 'Dwi 'di colli 'nheulu cyfan, a 'nhiroedd i gyd, i'r diawliaid.'

'Ia, mae Ianto ni yn y chwarel 'na. Pwy a ŵyr os ydi o'n fyw ta'n farw?' meddai un arall.

'Dwi'n methu bwydo 'nheulu. Does 'na'm digon i gadw iâr yn fyw yn y pecynnau bwyd 'na gan yr Eglwys,' meddai llais o'r cefn. 'A 'di dŵr yr afon ddim yn ffit i'w yfed.'

'Mae pawb yn sâl yn tŷ ni,' llefai dynes yn y tu blaen, 'a fedra i'm cael gafal ar gyffuriau i'w gwella.'

'Dwi'n teimlo'n bod ni wedi colli nabod ar bwy ydan ni,' meddai un o'r teips creadigol. ''Dan ni 'di colli'n hangerdd.'

'Gyfeillion,' meddai Winston. 'Rydan ni'n gytûn ein bod ni wedi cael llond bol ar y BETEC a bod angen cael gwared arnyn nhw – cawn drafod sut yn y man. Ond yn gyntaf hoffwn wahodd y ddau berson arbennig yma i ddweud gair.'

Trodd llygaid pawb at Mari ac Osian. Cochodd Mari. Doedd hi ddim wedi disgwyl gorfod siarad. Ers i Winston ddod o hyd iddyn nhw yn nhyddyn Mr a Mrs Bachar a dweud bod 'na griw'n ailffurfio i geisio cael gwared ar y BETEC, roedd hi wedi bod yn ddigon bodlon i ddilyn ei gyfarwyddyd o.

Er ei bod hi'n ifanc, eto i gyd byddai'n ddigon parod i ddweud beth oedd ar ei meddwl ond doedd hi erioed wedi gorfod gwneud hynny o flaen cymaint o bobol. Cliriodd ei gwddf. Roedd llygaid pawb yn dal arni. Ceisiodd feddwl beth fuasai Taid yn ei ddweud mewn sefyllfa o'r fath a'i eiriau wrth esbonio iddi pam bod pobol wedi gadael i'r BETEC gael y llaw uchaf arnynt.

Safodd ar ei thraed a thynnu anadl ddofn i leddfu'r cryndod.

'Mae'n wir bod yn rhaid inni gael gwared ar y BETEC,' meddai. 'Dwi isho gwneud hynny cymaint â neb. Ond mae'n rhaid inni gofio mai ni adawodd iddyn nhw gychwyn ar eu taith erchyll.' Daeth geiriau'i thaid yn ôl iddi. 'Ein chwant ni am fywyd moethus, oedd yn ddibynnol ar eu holew rhad nhw, wnaeth ein harwain ni i adael iddyn nhw gal getawê hefo trin pobol y byd fel baw, a'r byd ei hun fel lorri ludw. Cawson ni ein dallu gan yr holl ddanteithion a osodwyd o'n blaenau.'

Swniai Mari fel petai person llawer hŷn na hi yn siarad. Ai Taid oedd yn siarad trwyddi hi, neu a oedd helbulon yr wythnosau diwethaf wedi'i haeddfedu? Roedd llygaid pawb yn dal arni. 'Wnaethon ni'm cymryd cyfrifoldeb dros warchod beth oedd yn wir bwysig inni – ein cynefin a'n cymuned, ein hiaith a'n hetifeddiaeth. Anghofion ni warchod y rhyddid hwnnw sy'n dod yn sgil cymryd cyfrifoldeb i lywio dyfodol iach i ni'n hunain. Wnaethon ni *roi* ein rhyddid i'r BETEC.'

Arhosodd Mari am eiliad a gweld golwg boenus yn lledu dros wynebau sawl un yn y gynulleidfa. 'Ac felly be dwi isho ddeud ydi, does 'na'm pwynt jest cael gwared ar y BETEC. Rhaid inni hefyd fod yn barod i weithio hefo'n gilydd i greu dyfodol gwell i ni'n hunain a'n disgynyddion. Mae'n rhaid inni fod yn barod i gymryd yr awenau – pob un ohonon ni.'

Cymeradwyodd pawb yn frwd.

Cododd Winston, a diolch i Mari. 'Oes gen ti rywbeth ti isho'i ychwanegu?' meddai wrth Osian.

'Dwi'n cytuno hefo Mari,' atebodd yntau'n syth.

Cododd Angharad, ffrind Nest, ar ei thraed. 'Dwi'n barod i gyfrannu at ein dyfodol os llwyddwn ni i gael gwared ar y BETEC,' meddai gan godi'i llaw.

'A finna,' meddai Winston gan godi'i law yntau.

Arwyn – arweinydd y criw ifanc yn y parc oedd y nesa i sefyll a chodi'i law. Mae'n rhaid ei fod wedi edmygu gwroldeb Mari yn y parc y diwrnod hwnnw. Wrth weld eu harweinydd yn dangos ei gefnogaeth dilynodd y criw o bobl ifanc ei esiampl. Yn ara bach cododd mwy a mwy o bobol eu dwylo, nes yn y diwedd roedd pawb yn y cylch ar eu traed yn codi'u dwylo.

Rhoddodd Mari ochenaid o ryddhad. Wrth wneud, gwelodd drwy gornel ei llygad symudiad bach y tu hwnt i'r dyrfa. Craffodd i weld beth oedd yno. Neidiodd ei chalon wrth weld yr hydd yn edrych tuag ati. Gwenodd arni a rhoi winc cyn diflannu i'r coed.

'… a dyna ni wedi penderfynu hefyd felly, er y peryg, ein bod ni am geisio cael gwared ar y BETEC o'r Blaenau.' Clywodd lais Winston yn annerch. 'A rŵan mae'n rhaid i ni gynllunio sut i fynd o'i chwmpas hi.' Aeth pawb yn ddistaw wrth i wefr y trafodaethau cynt bylu. Teimlai Mari bwysau yn ei stumog. Daeth deigryn i'w llygaid wrth gofio geiriau Taid, 'Paid byth ag anobeithio! O'r holl rymoedd sydd yn gwneud gwell byd, does 'na'r un mor anhepgorol, yr un mor rymus â gobaith. A phaid ti ag anghofio hynny'r hogan!'

'Yyh… lly… yyh… thyr… i Mari Wyn.'

Torrodd llais dieithr ar draws ei myfyrdodau. Safai llipryn o hogyn mewn carpiau llychlyd o'i flaen. Roedd yn amlwg wedi rhedeg o rywle ac yn brwydro am anadl. Yn ei law roedd darn o bapur wedi'i blygu'n dwt.

'Llythyr oddi wrth eich taid yn y chwarel,' meddai cyn ei basio i Mari.

Neidiodd calon Mari eto. Efallai fod gobaith wedi'r cwbl…

Pennod 17

Cannu'r noson ddu

Roedd llawysgrifen ei thaid yn grynedig ofnadwy. Prin y medrai ddarllen y llythyr gan ei fod wedi'i sgwennu ar sgrap o bapur gan ddefnyddio rhyw fath o inc cartref wedi'i wneud trwy gymysgu baw a dŵr.

'Annwyl Mari,

Rydw i'n dal yn fyw, felly mae 'na obaith. Ond mae bywyd yma'n galed iawn a dwi ddim yn gwybod am faint y gwna i bara.

Llyncodd ei phoer.

Paid ti ag ypsetio, Mari, achos dydw i ddim am fynd eto. Os oes 'na un peth mae'n rhaid imi neud cyn gadael yr hen fyd 'ma, cael gwared ar y BETEC ydi hynny. Mae'r hyn 'nest ti yn yr Eglwys y bore 'ma wedi rhoi nerth ac ysbrydoliaeth i mi.

Mae anobaith yn bla yma, Mari. Mae 'na bobol o bob cwr o'r byd yma a phob un ohonon ni'n gaethweision wedi colli popeth. Mae'n anodd gweld y tu hwnt i orthrwm y BETEC. Ond dwi 'di bod yn siarad â rhai, Mari. Pobol dda. Pobol alluog. Pobol gall – ac os cân nhw hanner cyfle, mi fyddan nhw'n fodlon gwrthsefyll y gorthrwm. Rydan ni wedi bod yn trafod sut i greu gwrthryfel.

Roedd yn rhaid imi gynnig llygedyn o obaith iddyn nhw, Mari. Ac felly rydw i wedi deud wrthyn nhw bod pobol y dref hefyd wedi

cael llond bol ar y BETEC ac y byddan nhw'n dod at ei gilydd i
ymosod ar y chwarel.

Chwarddodd Mari. Roedd hyn yn nodweddiadol o Taid.
Roedd wedi troi'r hyn a welsai yn yr Eglwys – y dorf yn
bwian ei hymgais hi i'w hysbysu am warth y BETEC – yn
rhywbeth hollol i'r gwrthwyneb. Roedd ganddo ddawn i
droi'r llygedyn lleiaf o obaith yn rhywbeth llawer mwy.
Roedd ei gweithred hi ac Osian wedi annog pobol i ddod
at ei gilydd i drafod sut i orchfygu'r BETEC, ond doedd
Taid ddim yn gwybod hynny.

'Mae hyn wedi'u deffro nhw, Mari. Hyn oedd yr hanner cyfle
roedden ni ei angen. Rydan ni am wrthsefyll. Rydan ni wedi
cychwyn y gwrthryfel.

Trawodd y geiriau hi fel chwip ar geffyl. Os gallai'r
caethweision weld bod modd gwrthsefyll y BETEC
siawns y gallai'r criw hwn yn y goedwig sylweddoli hynny
hefyd.

    'Be ma'r llythyr yn ddeud, Mari?' holodd Winston.

    'Mae'r caethweision wedi cychwyn gwrthryfel,'
atebodd. Aeth murmur trwy'r dorf. 'Ac maen nhw'n
meddwl ein bod ni am ymosod ar y chwarel.' Murmur
arall.

    'Ydy o'n rhoi manylion?' gofynnodd Winston wedyn.

    Darllenodd Mari'n uchel fel bod pawb yn clywed.

'Rydan ni am smyglo Eilian, y lleiaf ohonom, o'r chwarel. Os

*byddi di'n darllen y llythyr hwn bydd o wedi cael hyd i ti. Mi
ddeudith o beth yw ein cynlluniau ni.'*

Helpa ni, Mari. Dwi'n gwybod y medri di.

Yn llawn gobaith

Taid'

'Wel, Eilian be sgen ti i ddeud wrthan ni?' holodd Winston.
'Oes 'na neges? Paid â phoeni rydan ni i gyd yn ffrindia i
ti yma.'

Yn betrusgar, esboniodd Eilian. Roedd cynllun y
caethweision yn un dewr, os nad gwallgo. Roedd tad un o'r
caethweision o'r Blaenau yn arfer gweithio yn y chwarel.
Bu'n rhaid i'r chwarelwyr adael eu gwaith yn sydyn iawn
un diwrnod wrth i'r perchnogion gyhoeddi nad oedd y
lle'n ddigon saff i bobol weithio yno a bu'n rhaid gadael
popeth fel ag yr oedd o.

Gweithiai'r chwarelwr hwn mewn rhan go anghysbell
o'r chwarel a gadawodd ei offer a'i ffrwydron ar ôl cyn
dianc. Soniodd wrth ei fab a disgrifio'r fan lle'r oedd y
ffrwydron yn gorwedd. Roedd y caethweision am geisio
dod o hyd iddyn nhw.

Roedd un caethwas o'r Affrica yn sicr y byddai'n gwybod
sut i danio'r ffrwydron gan iddo yntau weithio mewn
chwarel ar un adeg. Y cynllun oedd tanio'r ffrwydron
ger prif adeilad y BETEC. Yn sgil y dryswch y byddai'r
ffrwydron yn eu creu, a chyda help pobol y dref oedd i fod
ymosod ar y chwarel o'r tu allan, gobeithiai'r caethweision
allu goresgyn swyddogion y BETEC... Roedden nhw'n

cydnabod bod siawns na fyddent yn llwyddo, ond dyma'u hunig gyfle ac roedd yn rhaid mentro.

Tynnodd Mari anadl ddofn. Roedd hi'n llawn edmygedd o'i thaid yn ceisio cyflawni rhywbeth mor beryglus ac yntau yn ei henaint. Ond roedd hi'n poeni hefyd. Dychmygai Taid a rhai o'r caethweision eraill yn deffro ganol nos, yn ystod yr ychydig oriau a gaent i gysgu, ac yn sleifio fesul un heibio'r swyddog cysglyd oedd i fod eu gwarchod. Dychmygai nhw'n gadael y sied lle'r oeddent yn cysgu ac yn mentro allan i'r nos yn llawn ofn. Yr un lleuad fyddai'n goleuo'r cyfarfod yma rŵan a'u taith hwythau i'r mynydd. Dychmygai eu gweld nhw'n troedio'r llethrau serth, gan gamu'n ofalus dros lechi gwastraff yr oesoedd cynt. Yn sydyn cymylodd y ddelwedd yn ei meddwl ac aeth ias annifyr drwyddi. Synhwyrai fod rhywbeth o'i le yn y chwarel, ond wyddai hi ddim beth oedd yn bod.

'Uffarn dân,' meddai Winston, ei eiriau'n treiddio trwy'i ansicrwydd. ''Sa'n well inni gychwyn am y chwarel felly, 'yn bysa?'

Ysgydwodd Mari ei hun a chodi ar ei thraed gyda gweddill y dorf.

Pennod 18

Cychwyn hanes yfory

'Bydd yn rhaid inni stopio'r trên rywsut,' meddai Arwyn.

'Llechan ar y trac?' awgrymodd Winston.

'Syniad da, Winston,' meddai Mari.

'Ia wir,' meddai Osian, gan gefnogi'i gyfnither.

Roedd y dyrfa a gyfarfu yn y goedwig bellach wedi'u rhannu'n ddau grŵp. Byddai'r grŵp lleiaf yn herwgipio'r trên bach fyddai'n cludo'r caethweision tramor i'r chwarel. Y cynllun oedd dwyn gwisgoedd y swyddogion a mynd i mewn i'r chwarel yn gwisgo'u lifrai. Roedden nhw eisoes wedi galw yn y rhandir i gasglu pob darn o offer a allai fod o ddefnydd wrth oresgyn y swyddogion. Ac, wrth gwrs, roedd gan Winston ei wn.

Roedd y grŵp mwyaf ac Eilian – gan ei fod yn nabod y chwarel fel cefn ei law – wedi troi am adra i chwilota ymysg y rwbel am unrhyw beth a allai fod o ddefnydd iddynt hwythau wrth ymosod ar y chwarel o'r ochr arall – y brif fynedfa. Bellach roedd pawb yn brasgamu yno, gan gario rhawiau, picffyrch a bwyelli torri coed tân.

Roedd hi wedi dechrau goleuo erbyn hyn, a chodai tarth o'r tir. Wedi iddyn nhw osod slab o lechan ar draws y traciau, aeth yr herwgipwyr i guddio yn y rhedyn gerllaw. Roeddent eisoes wedi penderfynu pwy oedd yn gwneud be ac am y tro doedd dim i'w wneud ond aros.

Dewiswyd Mari ac Osian i fynd gyda'r herwgipwyr, gan eu bod nhw'n gyfarwydd â'r Llwybyr Cam. Hwn oedd y peth mwyaf peryglus a wynebodd Mari erioed, er i'r diwrnodau diwethaf fod yn ddigon heriol. Gallai gael ei lladd. Doedd hi ddim eisiau marw, ond gwyddai nad oedd troi 'nôl. Clywodd rywun yn symud wrth ei hochr – Osian a'r ci oedd yno'n setlo yn eu cuddfan.

'Ti'n iawn, Osh?' gofynnodd yn ddistaw.

'Gen i ofn, Mari,' atebodd.

'Fi hefyd, Osh. Paid â phoeni, byddwn ni'n iawn, 'sti. Ti'n cofio be ti'n goro neud?'

'Yndw,' meddai yntau. 'Gafael yn y swyddogion a'u dal nhw nes bod rhywun yn dod i'w clymu.'

'Ia, da iawn ti,' meddai Mari.

'Ac wedyn, arwain pawb i fyny'r Llwybyr Cam i'r chwarel. Gafael yn y bobol bwysig yn fan'na, nes bod rhywun yn eu clymu nhwytha hefyd.'

'Da iawn eto,' ymatebodd Mari. 'Ac wedyn byddan ni'n rhydd... ' ychwanegodd yn ddistaw.

'Mari! Mae'r trên yn dŵad!'

Arwyn oedd yno yn ei gwrcwd, wedi cropian o'i guddfan. 'Dyma ni!'

Prin bod yr haul wedi codi ac roedd y tarth wedi dechrau cilio. Clywodd Mari sŵn yr injan stêm yn pwffian ei ffordd i fyny'r allt tua'r chwarel. Eiliad yn ddiweddarach gwelodd ffrwd o stêm yn rowndio ochr y mynydd. Teimlai ddirgryniadau injan yn taranu tuag atynt cyn iddi weld y trên ei hun.

'CRAAAC'. Chwalodd y llechan ar y traciau. Saethodd

miloedd o ddarnau mân trwy'r awyr tuag at yr herwgipwyr a'r rheiny'n cuddio'u pennau rhag i'r saethau pigog eu brifo. Wedi'r gawod, cododd pawb eu pennau'n araf bach i edrych dros y rhedyn. Er bod y trên wedi cael ei daflu oddi ar y traciau roedd yn dal i sefyll.

'Rŵan!' sibrydodd Arwyn. Yn araf bach, cododd Winston o'r rhedyn a cherdded yn ddistaw tuag at y trên. Roedd y ddau swyddog wrth yr injan yn rhy brysur yn dadlau a ffraeo am fod y trên ar stop i sylwi arno'n sleifio ar hyd ochr y cerbydau.

'Pwt ior hands bihaind ior heds,' meddai wrth rowndio'r cab ac anelu'r gwn at y naill ac wedyn y llall, bob yn ail.

Trodd y rheiny i edrych arno'n syn. Doedd neb wedi meiddio eu herio o'r blaen.

'Dw it naw,' meddai Winston gan ddynwared llais arwr mewn ffilm a gofiai ers ei blentyndod. Yn araf bach, cododd y ddau swyddog eu dwylo a'u rhoi y tu ôl i'w pennau.

Tra oedd Winston yn dal y gwn o flaen wynebau'r swyddogion roedd Mari, Osian ac Arwyn wedi cropian y tu blaen i'r trên gan ymddangos o'r tu ôl iddyn nhw.

'Gafaela ynddyn nhw, Osian,' gorchmynnodd Winston. 'Don't iw dêr mwf,' meddai wrth y ddau oedd erbyn hyn yn edrych yn boenus ar ei gilydd.

Dringodd Osian i'r cab ac Arwyn ar ei ôl. Gafaelodd yn y ddau swyddog a chlymodd Arwyn eu dwylo a'u traed, cyn taflu'r ddau ohonynt i mewn i'r caban. Clymwyd lliain am eu cegau.

'Da iawn,' meddai Mari. 'Reit, gweddill y trên amdani.'

Ar ôl sicrhau bod pob swyddog wedi'i glymu, gwaeddodd Mari ar weddill y criw yn y rhedyn a rhuthrodd pawb at y trên gan chwifio'u bwyelli.

Bu'r caethweision yn y trên yn ddistaw trwy gydol yr herwgipiad gan eu bod wedi'u syfrdanu. Ond wedi iddyn nhw sylweddoli eu bod am gael eu rhyddhau yn hytrach na'u niweidio dechreuon nhw weiddi, a chrio, ac ysgwyd eu cadwyni fel gwallgofiaid. Bu'n rhaid eu tawelu rhag i'r swyddogion yn y chwarel eu clywed. Ceisiai Mari ddod o hyd i rywun a fedrai ddeall Cymraeg neu Saesneg. O'r diwedd cwrddodd â hen ŵr o'r Eidal a siaradai Saesneg a llwyddo yn y diwedd i gyfleu eu cynllun – mynd i'r chwarel, cipio holl swyddogion y BETEC, rhyddhau'r caethweision, a gwaredu Blaenau Ffestiniog o'r ymerodraeth. Roedd yr Eidalwr wrth ei fodd, a chytunodd ar unwaith i arwain y caethweision.

Llwyddodd yr hen Eidalwr i esbonio'r sefyllfa iddynt. Byddai'r caethweision yn aros ar y trên, i roi cyfle i Mari a'r criw fynd, yng ngwisg y swyddogion, i'r chwarel a gorchfygu'r swyddogion eraill. Wedi iddynt lwyddo byddai un ohonynt yn dod i ben y Llwybyr Cam a chwifio siaced. Byddai hyn yn arwydd i'r rhai ar y trên i ddringo'r Llwybyr Cam a chynorthwyo i ryddhau'r caethweision yn y chwarel.

Roedd Arwyn eisoes wedi gwneud i'r swyddogion dynnu eu dillad ac wedi dosbarthu'r rheiny ymhlith ei ffrindiau newydd. Er bod gwisg Mari'n llawer rhy fawr, ac un Osian yn llawer rhy fach, llwyddodd y ddau rywsut i'w gwisgo.

Cychwynnodd y criw yn ddistaw bach ar hyd y traciau

a thuag at y Llwybyr Cam, gydag Osian a'r ci, Mari, Arwyn, a Winston yn y tu blaen. Doedd y Llwybyr Cam ddim mewn cystal cyflwr â'r tro cyntaf i Mari ei ddringo. Roedd olion y daeargryn i'w gweld ym mhobman. Ond yn araf, ac wedi dringo dros domenni bach o lechi lle'r oedd y llwybyr wedi'i chwalu'n llwyr, daethant i ben y domen fawr.

Edrychodd Mari i lawr ar y Blaenau. Roedd yn llawer distawach na'r tro diwethaf iddi sefyll yn y fan honno.

'Mari? Ti'n barod?'

Roedd Arwyn a'r criw ar eu gliniau y tu allan i adfail adeilad winsh yr inclên. Roedden nhw'n gytûn bod rhaid edrych yn hyderus wrth fynd i mewn i'r chwarel, rhag i'r swyddogion synhwyro bod rhywbeth o'i le.

Cododd pawb a chamu o'r tu ôl i'r adfail. Yr un olygfa a wynebai Mari y tro yma â'r un a wynebodd hi'r wythnos cynt. Roedd y BETEC wedi ailosod yr olwyn ar ei hechel ac roedd llu o gaethweision carpiog yn ei throi. Yn sefyll o dan yr arwydd mawr – a'r geiriau BUSH ENTERPRISES TRANSATIONAL ENERGY CORP. mewn coch, glas a gwyn arno – roedd y swyddog mewn gwisg caci a'r bŵts du at ei bengliniau. Roedd rhwymyn yn dal ar ei ben, ac roedd ganddo farciau llosg ar ei groen. Gwaeddai ar y caethweision a'u chwipio bob hyn a hyn.

Top of the mornin to you, meddai gan godi'i law i gyfarch y criw mewn gwisg swyddogion a gerddai tuag ato. Cododd ambell un eu llaw arno gan amneidio ac awgrymu eu bod yn awyddus i gael gair. Daeth y swyddog atynt a sefyll o'u blaen. Adnabu ef Mari ac Osian. Tynnodd ei anadl ac estyn am ei wn yn ei boced.

'Pwt ior hands behaind ior hed,' meddai Winston gan godi'i wn yntau. Trodd y swyddog tuag at Winston. 'Dw it naw,' meddai a chododd hwnnw ei ddwylo'n anfoddog.

'Gafael ynddo fo, Osian,' meddai Winston wedyn. Camodd Osian at y swyddog, cymryd ei wn a daeth Arwyn ymlaen i'w glymu.

Cafodd ei glymu i'r arwydd Bush Enterprises ac esboniodd yr hen Eidalwr i'r caethweision y byddai rhai'n dod i'w rhyddhau yn y man, a gofyn iddynt gadw'n ddistaw a dal i droi'r olwyn tan hynny. Caent wedyn gyfle i ryddhau'r caethweision eraill. Er bod llawer yn rhy wan i ddangos unrhyw gyffro, gwelodd Mari sbarc yn llygaid ambell un, a rhoddodd hynny hwb iddi. Aeth i ben yr inclên a chwifio'i siaced ar y trên.

Erbyn hyn codasai dadl rhwng Arwyn a Winston. Roedd Winston wedi cymryd gwn y swyddog a'i gadw yn ei boced. Roedd Arwyn yn awyddus i gael y gwn ond roedd Winston yn gwrthod ei roi iddo, gan ddweud ei fod yn rhy ifanc. Roedd hyn wedi gwylltio Arwyn. Roedd Osian druan yn y canol, rhwng y ddau, yn edrych yn anghyfforddus dros ben.

'Ddynion,' ebychodd Mari. ''Sgynnon ni ddim amser i ffraeo. Mi wnawn ni adael y gwn fan hyn.'

Tynnodd Mari wn y swyddog o boced Winston a'i daflu i lawr ochr y domen.

'Dyna ni,' meddai Mari. 'Awn ni yn ein blaenau?'.

Er i'r ddau ddyn bwdu am ychydig, buan yr anghofiwyd am y gwn. Daliodd y criw ati, gan symud o un olwyn fawr i'r llall gan glymu'r swyddogion a hysbysu'r caethweision bod rhai eraill yn dod ar eu hôl i'w rhyddhau. Roedd Mari wedi bod ar bigau drain eisiau gweld ei thaid a Nest ers iddi gyrraedd y chwarel, ond aeth yn fwy ac yn fwy diamynedd wrth iddynt ryddhau caethweision un olwyn ar ôl y llall heb iddi glywed unrhyw sôn amdanynt yn unlle.

Doedd hi ddim chwaith wedi clywed y ffrwydrad. A lwyddodd Taid a rhai o'r caethweision i ddianc i nôl i ffrwydron, tybed? Oedden nhw wedi gallu eu gosod wrth brif adeilad y BETEC yn ôl y cynllun? Oedd y ffrwydron yn mynd i lwyddo? Rhedai'r cwestiynau trwy'i meddwl, ond doedd dim modd cael atebion. Byddai'n rhaid iddi hithau a'i chriw barhau â'u gwaith gan obeithio bod y caethweision hefyd wedi llwyddo.

O'r diwedd daethant at yr olwyn olaf, yr un oedd agosaf at yr adeilad crand gwydr a welsai Mari a'i thaid o'r mynydd. Erbyn hyn roedd caethweision y trên wedi rhyddhau y rhan fwyaf o gaethweision y chwarel ac roedd tyrfa ohonynt yn rhydd yn prysuro y tu ôl i Mari a'r criw wrth iddynt gerdded tuag at y swyddog a ofalai am yr olwyn olaf.

Roedd Mari bron â marw eisiau gwybod oedd ei thaid a Nest ynghlwm wrth yr olwyn hon, ond ni allai fentro dangos bod ganddi ddiddordeb yn hynny, rhag ofn i'r swyddog sylwi a synhwyro fod rhywbeth o'i le. Daliodd i edrych yn syth yn ei blaen nes cyrraedd y swyddog. Edrychodd hwnnw arnynt, ei wyneb yn llawn cwestiynau. Newidiodd ei agwedd pan sylweddolodd mai un dyn, a chriw yn eu harddegau, gan gynnwys hogyn enfawr a hogan fach, oedd y swyddogion a sefai o'i flaen. Yr eilad honno rhuthrodd y caethweision rhydd tuag ato. Gwingodd a chipio'i wn o'i boced. Anelodd hwnnw tuag at ben Winston. Ond roedd Winston hefyd wedi codi'i wn ac yn ei anelu at ben y swyddog.

'Pwt ior gyn dawn,' meddai Winston.

'*I will if you will,*' meddai'r swyddog.

'Ocê,' meddai Winston.

'Be ti'n neud, Winston?' sibrydodd Mari.

'Does 'na'm bwled yn 'y ngwn i,' meddai Winston.

'Be?'

'Does 'na'm bwled wedi bod yn y gwn ers deng mlynedd. Rhy ddrud!'

'*Are you going to put your gun down or what?*' gofynnodd y swyddog.

'Ai wil iff iw wil,' meddai Winston eto.

'*Yes, we've already agreed to that,*' meddai'r swyddog.

'Go on dden,' meddai Winston.

Roedd y caethweision erbyn hyn wedi ymgynnull o amgylch y criw a'r swyddog ac yn gwylio'r ddrama o'u blaenau'n ofalus. Roedd y swyddog yn ddigon craff i sylweddoli nad oedd gobaith ganddo i ddianc hyd yn oed petai'n defnyddio'i wn. Ac felly, yn araf bach, gostyngodd ei wn – er mawr ryddhad i Winston, a gwnaeth yntau yr un peth. Safodd y swyddog ac edrych yn bryderus o amgylch y cylch o wynebau llwglyd.

'Clymwch o, hogia,' meddai Winston a rhuthrodd y caethweision rhydd â'u bwyelli i ryddhau'r caethweision oedd yn sownd wrth yr olwyn olaf.

Yna cafwyd rhialtwch llwyr wrth i gannoedd o gaethweision ddathlu eu rhyddid. Cusanai pobol o bob cwr o'r byd ei gilydd, gan gofleidio, dawnsio, canu, chwerthin, neidio, a bloeddio, yn methu coelio eu bod yn rhydd.

Ni allai Mari ddathlu. Roedd y caethweision yn rhydd ond doedden nhw ddim wedi gorchfygu'r BETEC eto. Roedd y prif adeilad yn dal i sefyll a doedd hi ddim wedi clywed yr un ffrwydrad. Doedd dim golwg chwaith o Taid na Nest. Dechreuodd amau fod rhywbeth wedi mynd o'i le hefo cynllun Taid. Roedd yn amlwg bod rhywbeth mawr yn bod.

Rhuthrodd Mari yn ei blaen, ei gwynt yn ei dwrn heb syniad i ba gyfeiriad roedd hi'n mynd. Rhaid oedd dod o hyd i Taid a Nest.

Safodd yn stond am eiliad wrth weld y llyfrgellydd yn gorwedd yn llipa ger yr olwyn. Rhedodd ati. 'Taid? Nest? Ydach chi wedi gweld Taid a Nest?'

Gafaelodd yn ysgwyddau'r llyfrgellydd a'i throi i edrych arni. Roedd ei llygaid yn sych a di-liw, a'i chroen wedi'i orchuddio â llwch. Agorodd ei cheg i siarad ond ni lefarodd yr un gair.

'Plis!' plediodd Mari. 'Lle maen nhw?'

Cododd y llyfrgellydd ei llaw ac ystumio ar Mari i ddod yn agosach.

'Mae dy daid wedi disgyn,' meddai yn wan. Prin y medrai Mari ei chlywed. 'I lawr siafft… pan oedden nhw'n chwilio am y ffrwydron. Aeth Nest i chwilio amdano fo.'

'Pa siafft?' Ond caeodd y llyfrgellydd ei llygaid heb ei hateb. Ysgydwodd Mari hi. 'Pa siafft?'

Agorodd y llyfrgellydd ei llygaid yn araf bach. 'Yr un ar y mynydd,' sibrydodd cyn disgyn yn ôl a chau'i llygaid.

'Ydi'r lleill wedi gosod y ffrwydron?' Ysgydwodd y llyfrgellydd eto. 'Ydyn nhw?'

Ond ni allai'r llyfrgellydd druan ei hateb.

'Mari, Mari! Tyrd.' Gafaelodd Arwyn yn ei llaw a'i llusgo tuag at yr adeilad crand. 'Mae 'na swyddogion yn dal yn y brif swyddfa. Rhaid i ni fynd ar eu hola nhw.'

'Ond...' Ceisiodd Mari dynnu'i llaw yn ôl ond roedd gafael Arwyn yn rhy dynn.

'Mae Winston ar ei ffordd yno'n barod. Mae Osian hefo fo.'

'Ond...'

'Tyrd, Mari! Mae criw'r Blaenau 'di cyrraedd hefyd. Maen nhw am ymosod ar y lle. Rhaid i ni fynd i'w helpu nhw.'

Daliodd Arwyn i lusgo Mari tuag at yr adeilad.

'Mae 'na sôn am wneud datganiad bod Blaena'n annibynnol, am ethol llywodraeth i'r Blaena; ailgodi'r dre, llnau'r afonydd, rhannu'r tir ac ynni'r melinau gwynt rhwng pawb. Dychmyga, Mari, Blaena Rydd!!'

Rhuthrodd Arwyn yn ei flaen.

'Ond be am y ffrwydron?' gwaeddodd Mari ar ei ôl. Ond wnaeth Arwyn mo'i chlywed.

Gallai Mari weld Osian a'r ci'n sefyll wrth fynedfa'r prif adeilad ac ar fin mynd i mewn iddo. Rhedodd Arwyn tuag atynt. Câi Mari'r teimlad anesmwyth yn ei stumog bod rhywbeth mawr ar fin digwydd. Cymerodd rai eiliadau iddi sylweddoli beth roedd ei greddf yn ei ddweud wrthi. Roedd yr adeilad yn mynd i ffrwydro! Roedd yn rhaid iddi gael Osian allan. Rhedodd tuag at y fynedfa. 'Osian!' gwaeddodd. Safai Osian yno'n gwenu ac yn chwifio arni, y ci wrth ei ochr.

'Osian tyrd o fan'na!' gwaeddodd gan ddal i redeg. Sylwodd ar ei hadlewyrchiad yng ngwydr bregus y waliau – ei gwallt brown trwchus, ei llygaid crwn, ei bochau coch, ei thrwyn bach, a'i choesa cadarn yn ei chario tuag at y fynedfa. Gwelai, yn yr adlewyrchiad, flaidd yn rhedeg wrth ei hochr. Trodd Mari ei phen i edrych arno, ond doedd dim byd yno. Trodd yn ôl at yr adlewyrchiad. Roedd y blaidd wedi diflannu.

Doedd Osian ddim wedi'i chlywed hi.

'Osian!' gwaeddodd eto.

Chwifiodd yntau ei law cyn diflannu i mewn i'r adeilad.

'Osian, na! Paid â...'

Yn sydyn sugnwyd yr holl wynt ohoni wrth i'r adeilad ffrwydro a'i thaflu i'r awyr. Glaniodd ar ei chefn a cheisiodd gysgodi'i hwyneb rhag y darnau o wydr a ddisgynnai arni. Cododd ar ei heistedd a gweld gweddill yr adeilad yn chwalu o'i blaen. 'OSIAAAAAN!' gwaeddodd i mewn i'r rwbel. Ond ni ddaeth ateb.

Pennod 19

Chwilota ymysg yr adfeilion

Powliai'r dagrau i lawr wyneb Mari ac i mewn i'r briwiau bach ar ei chroen wrth iddi grwydro dros weddillion yr adeilad a galw'n ofer am Osian. Roedd Osian wedi bod wrth ei hochr, yn gefn iddi ers iddi ddod i'r Blaenau, a rŵan roedd wedi'i golli.

Fel Mari, roedd Arwyn wedi goroesi'r ffrwydrad a chwiliai yntau ymysg y rwbel am Winston. Ni ddaeth o hyd iddo – dim ond ei wn di-fwled, a hwnnw'n sefyll â'i ben yn y ddaear ychydig droedfeddi o'r fynedfa. Cododd Arwyn y gwn a'i roi dros ei ysgwydd.

Roedd dathliadau'r caethweision wedi distewi. Safai pobol y dref, a oedd newydd gyrraedd wedi brwydr fawr wrth y brif fynedfa, gan edrych yn syn ar weddillion yr adeilad. Roedden nhw wedi llwyddo i gael gwared ar y BETEC. Wedi llwyddo i waredu'r Blaenau o'r rhai fu'n eu gorthrymu cyhyd. Roedd yn anodd credu'r peth.

Aeth munudau lawer heibio a phawb yn dal i sefyllian heb wybod beth i'w wneud. Gyda rhyddid daw cyfrifoldeb a doedd neb wedi cael profiad o hwnnw ers amser maith. Ymhen amser byddai arweinwyr yn codi o'u plith ac yn rhoi trefn ar bethau, ond ddim eto.

Daeth yr haul i'r golwg o'r tu ôl i gwmwl bach, yr unig gwmwl yn yr awyr las, a theimlai Mari ei wres ar ei hwyneb. Cofiodd am ei thaid a Nest, oedd yn dal ar goll o dan y ddaear.

'Y siafft ar y mynydd,' meddai wrthi'i hun. 'Rhaid i mi ddod o hyd iddi.'

Roedd y siafft yn uchel ar y mynydd a hen ysgol haearn wedi'i gosod i mewn ynddi. Er nad edrychai'n saff dringodd Mari i lawr. Roedd twll y siafft yn ddwfn, yn dywyll ac yn llaith yn y gwaelod.

'Nest? Taid?' Atseiniai gwaedd Mari ar hyd y twneli a ymestynnai i bob cyfeiriad o waelod y siafft. Camodd ymlaen trwy'r tywyllwch, ei llygaid yn dod i arfer hefo'r diffyg golau'n araf bach gan ddal i alw am ei modryb a'i thaid.

Cyn bo hir daeth at geudwll. Fel y rhai yn y chwarel yn y Manod, roedd to hwn wedi'i chwalu ac roedd ychydig o olau'n treiddio i'r tywyllwch. O'i blaen gwelodd ddarn mawr o lechan a Nest yn gorwedd arni. Rhedodd Mari ati gan weiddi ei henw. 'Nest!' Gorweddai Nest fel plentyn, ei phengliniau wedi'u plygu at ei bol a'i dwy law o dan ei phen. Roedd ei llygaid ar gau.

'Nest,' meddai Mari'n ddistaw. Rhoddodd ei llaw ar ei hysgwydd i geisio'i deffro. Ond roedd corff Nest yn oer.

Baglodd Mari yn ei blaen gan adael y corff, heb wybod i ba gyfeiriad roedd hi'n mynd. Yna clywodd eiriau cân, yn treiddio o bell drwy'r twnnel...

'Mi sydd fachgen ieuanc ffôl
Yn byw yn ôl fy ffansi,
Myfi'n bugeilio'r gwenith gwyn
Ac arall yn ei fedi...'

Roedd y llais yn wan a seibiannau hir rhwng pob llinell,
fel petai'r canwr yn ceisio hel digon o nerth i ynganu'r
llinell nesaf.

'Taid?' meddai Mari. Ac wedyn 'TAID?' yn uwch.
Parhaodd y canu...

'Pam na ddeui ar fy ôl
Rhyw ddydd ar ôl ei gilydd...'

Rhuthrodd Mari i gyfeiriad y llais. 'Plis paid â stopio canu,'
meddyliodd. Daeth y llais yn uwch ac yn uwch wrth iddi
ymbalfalu mlaen trwy'r tywyllwch.

Roedd hi'n agos rŵan.

'Tra bo dŵr y môr yn hallt,
A thra bo 'ngwallt yn tyfu,
A thra bo hiraeth yn fy mron
Mi fyddaf ffyddlon iti.'

'TAID!' Ffrwydrodd Mari i mewn i'r ceudwll.

'Mari!' meddai yntau'n wan. 'Ro'n i gwybod y gallwn i
ddibynnu arnat ti.'

Roedd Taid yn gorwedd ar lechfaen, ei groen yn llwydlas
a'i gorff yn crynu. 'Fedri di 'nghael i o 'ma?' holodd.

'Medra,' meddai Mari.

Gafaelodd ynddo a'i helpu i godi. Gosododd ei fraich dros ei hysgwydd, gan ddiolch ei fod yn ddyn mor ysgafn. Cymerodd gryn amser i Mari hanner-llusgo'i thaid trwy'r twneli cyfyng at y ceudwll lle gorweddai Nest.

Roedd yr haul uwchben y ceudwll yn y to erbyn hyn a disgynnai llafn o olau hyfryd ar ei chorff. Safodd y ddau yno gan edrych arni a'r dagrau'n llifo.

'Ei di â fi i ben y mynydd?' holodd Taid yn ddistaw.

Amneidiodd Mari. Trodd y ddau a cherdded i gyfeiriad yr ysgol.

Roedd dringo'r ysgol yn un o'r tasgau anoddaf i Mari ei chyflawni erioed. Roedd Taid yn rhy wan i'w dringo, felly bu'n rhaid i Mari ei rwymo â rhaff a'i dynnu i fyny bob yn dipyn. Llosgai ei hysgyfaint yn yr ymdrech.

O'r diwedd llwyddodd i lusgo'i hun a Taid allan o'r siafft. Roedd Taid yn dal yn llwydlas ac yn crynu. Llyncai Mari'r aer yn boenus i'w hysgyfaint. Ceisiai beidio â meddwl ei fod wedi gofyn iddi fynd â fo i gopa'r mynydd.

'Diolch, Mari,' meddai Taid yn wan.

'Dach chi'n siŵr eich bod chi eisiau mynd i'r copa, Taid?'

'Dwi'n marw, Mari.'

'Peidiwch â dweud y fath beth, Taid,' meddai.

'Mae pawb yn gorfod marw rhywbryd,' oedd ei ateb.

'Ond 'dan ni 'di cael gwared ar y BETEC,' meddai Mari. 'Sbïwch,' meddai gan bwyntio i lawr at y chwarel. 'Mae'r caethweision yn rhydd, a'r swyddogion wedi'u dal. Mae pobol y dre wedi gwrthryfela – maen nhw am ddatgan annibyniaeth i'r Blaenau ac ailgodi'r dre. Dyna be oeddach chi isho, yndê?'

'Ia,' meddai Taid 'a dyna pam mae'n bryd imi farw. Mae'r rhod yn troi, Mari. Chdi sy'n sgwyddo beichiau'r byd erbyn hyn. Chdi sy'n cynnal y dyfodol. Dyna pam bod gen ti sgwyddau cadarn. Er cofia, dydy dyfodol rhydd ddim yn beth hawdd i'w gynnal.'

Pwyntiodd Taid heibio'r chwarel, at yr hen ffordd a oedd yn arwain at Fwlch y Gorddinan ac wedyn i lawr i'r dref. Dilynodd Mari ei drem. Yn y pellter gwelai luoedd o swyddogion mewn du yn ymdeithio tuag at y Blaenau. Ochneidiodd.

'Ond paid ti ag anobeithio, Mari. O'r holl rymoedd sy'n gwneud gwell byd, does 'na'r run mor rymus â gobaith. A phaid ti ag anghofio hynny. Sbia.' Pwyntiodd Taid tuag at fynedfa'r chwarel. Roedd y caethweision a phobol y dre'n dal yno, yn dal i geisio dygymod â'u rhyddid a'u cyfrifoldebau newydd. Ond y tu hwnt iddyn nhw, yn sefyll yn y bwlch rhyngddynt a'r lluoedd a oedd yn dynesu, roedd llu o ffurfiau hynafol – y rhai a welsai Mari wrth y tân y noson ar ôl y ddaeargryn ddiwethaf.

'Gwela i nhw,' meddai gan edrych ar ei thaid.

'Ddeudis i yndô,' meddai yntau. 'Mae'r Fam Ddaear wedi'u deffro i'ch helpu chi i ffurfio dyfodol gwell.'

'Ia,' meddai Mari, 'ond roeddan nhw isho i fi neud rhywbeth. Noson y ddaeargryn, o amgylch y tân. Mi ddaethon nhw ata i... Be oeddan nhw isho i fi neud?' gofynnodd.

'Roeddan nhw am i titha ddeffro hefyd,' oedd ateb Taid.

Daeth chwa o wynt dros ochr y mynydd a chrynai Taid. 'Wyt ti am fynd â fi i'r copa 'ma, ta be?' meddai.

Cododd Mari a throi at y mynydd. Edrychodd y tu ôl iddi i gyfeiriad y chwarel, at ei chyd-wrthryfelwyr a'r lluoedd mewn du yn dynesu, cyn troi eto am y mynydd.

'Dewch 'ta,' meddai, gan ymestyn ei braich i helpu Taid i godi.

Roedd yr haul bron â machlud erbyn iddynt gyrraedd y copa. Porai maharen unig yno. Gosododd Mari ei thaid i eistedd i wynebu pelydrau cynnes yr haul. Eisteddodd hithau wrth ei ymyl.

'Diolch, Mari,' meddai Taid. 'Dwi'n falch dy fod ti'n wyres imi.'

Edrychodd Mari ar yr haul gan geisio atal y dagrau oedd yn mynnu dianc o'i llygaid. Diflannodd y belen goch dros y gorwel. Trodd at ei thaid. Roedd yntau erbyn hyn wedi'i gadael hefyd.